단청과 불화에 전용된 전통안료의 문헌사적 연구

단청과 불화에 전용된 전통안료의 문헌사적 연구

2012년 11월 5일 초판 1쇄 인쇄
2012년 11월 10일 초판 1쇄 발행

지은이 · 곽동해
펴낸이 · 권혁재

편집 및 디자인 · 박현주
출력 · CMYK
인쇄 · 한일프린테크

펴낸곳 · 학연문화사
등록 · 1988년 2월 26일 제2-501호
주소 · 서울시 금천구 가산동 371-28 우림라이온스밸리 B동 712호
전화 · 02-2026-0541~4
팩스 · 02-2026-0547
E-mail · hak7891@chol.net

ISBN 978-89-5508-290-6 93630

단청과 불화에 전용된 전통안료의 문헌사적 연구

곽 동 해 지음

학연문화사

격조 깊은 빛깔의 재현을 기다리며

전통안료란 고대로부터 사용해 온 천연안료를 말한다. 자연에서 채취한 천연광물을 가공 분쇄하여 제조하는 무기안료가 대부분으로 특유의 고격한 빛깔과 변색되지 않는 특성이 있다. 한국의 전통안료는 고대부터 근대까지 다양한 채색화 분야에 사용되었다. 벽화 · 불화 · 단청 등 삼국시대부터 대한제국시대에 이르기까지 다양한 빛깔의 천연안료가 쓰였음을 확인할 수 있다. 그러나 19세기 말 인공 화학안료가 유입되기 시작하면서 전통 천연안료 사용은 점차 사양길에 접어들었다. 일제강점기에는 화학안료의 유입이 본격화되었다. 순수미술 분야에도 서양화법이 전래되기 시작하면서 유화재료가 유입되었고, 그 사용은 날로 증가되기 시작했다. 상대적으로 전통 채색화 장르는 빠르게 위축되었고, 더불어 천연안료의 사용 또한 급격히 감소되었다. 이러한 현상은 한국동란 이후 더욱 심화되었고, 안료의 사용이 불가피한 단청과 불화 등의 채색 재료조차 화학제품으로의 대체를 피할 수 없었다.

오늘날 채색화에 사용되는 안료는 인공 화학제품이 대부분이다. 현재 천연안료의 국내 생산은 박약한 수준에 머물고 있다. 일제강점기 이후 그 수요가 현격히 줄어든 탓이다. 일본과 중국 등 외국에서 수입된 천연안료는 매우 비싸기 때문에 일부 불화작가들만의 전유물이 되었다. 특히 건축단청분야는 백 퍼센트 화학안료를 사용하고 있다 해도 과언이 아니다. 현전하는 건축단청문화재들은 이미 화학안료에 익숙해진 지 오래다. 가장 오래된 건축인 봉정사 극락전과 조선왕조의 상징인 경복궁의 근정전의 단청도 화학안료로 새롭게 치장되었다. 대부분의 국보와 보물 건축문화재들이 복원과 보수를 거치면서 번잡스러울 정도로 지나치게 호사스런 화학안료의 옷을 입었다. 천연안료 빛깔에서 볼 수 있는 고격한 오채색의 조화는 더 이상 찾아볼 수 없게 된 것이다. 단청문화재 수리와 복원의 큰 문제점이라 아니할 수 없다.

2008년 숭례문이 방화로 소실된 후 복원사업이 초미의 대국민적 관심사로 떠올랐다. 국가중요문형문화재의 보유자들이 대거 참여하여 전면 전통 방식으로 복원을 시작했다. 그런데 전통

재료를 사용하여 전통 방식으로 재건하고자 하는 복원사업에 단청 재료가 어김없이 걸림돌로 대두되었다. 그러나 채색의 변색보다 더 빠른 속도로 퇴화된 전통 단청의 단절 현상을 단기간에 되돌리기는 쉽지 않은 일이다. 전통안료에 대한 연구의 필요성이 절실히 부각된 것이다,

작금에 이르러 채색 문화재의 전통안료 연구에 관심이 증폭되기 시작했다. 천연안료의 재현과 더불어 문화재의 수리와 복원에 반드시 필요하기 때문이다. 그런데 전통안료의 연구는 첨단장비를 이용한다 해도 과학적 분석만으로는 한계가 있다. 공작석과 남동광과 같은 동일한 성분에서도 입자의 굵기에 따라서 다양한 명도의 안료가 생산되었기 때문이다. 전통안료의 명칭이 다분히 왜곡된 현실에서 그에 대한 인문학적 기초 연구의 선행이 시급한 실정이다. 미약하나마 현전하는 고려와 조선시대의 단청 관련 문헌사료는 이를 해결할 수 있는 단초를 제공한다.

이 책에서는 고려와 조선시대의 영건단청에 사용되었던 각종 안료의 종류와 명칭 및 유래에 대해 살펴보고자 한다. 단청과 불

화는 색을 혼합하지 않고 대부분 안료 그대로 칠하기 때문에 명칭과 빛깔이 일치하는 장점이 있다. 즉, 현전하는 조선 후기 단청이나 불화에 남아있는 각종 빛깔이 동시대의 문헌사료에 기록된 각종 안료의 고유 빛깔과 동일하다는 것이다. 이것은 전통적으로 사용된 안료의 종류와 명칭은 물론 그 고유의 빛깔까지도 파악할 수 있는 중요한 실마리를 제공한다. 따라서 전통적으로 사용된 각종 안료의 종류와 명칭을 파악하는 것이 우선적으로 필요하다. 이에 대한 해답을 구하고자 하는 것이 본 연구의 목적이다.

끝으로 이 책의 집필에 큰 도움을 주신 이오희, 이광훈, 김현승 세 분께 심심한 사의를 드린다. 아울러 본 연구가 잃어버린 전통채색의 재현과 더불어 채색문화재의 복원 수리에 밑알이 되기를 기대하면서 서문을 마치도록 하겠다.

임진년 가을의 문턱에서

지은이 삼가 쓰다

차례

창덕궁 인정전

외부 전면. 1803년 재건, 1857년 수리
1998년 외부단청 전면개칠

내부 전경. 1803년 재건, 1857년 수리
내부 단청은 1857년 수리 당시 채색재료가 대량 투입된 것으로 미루어 당시의 단청으로 추정됨. 그러나 공포 이하 일부 부재에서 양청·주홍 등 19세기 말에 유입된 안료의 색감도 나타나는 바, 그 이후 부분적인 단청개칠 추정.

내부 공포 부분. 1803년 재건, 1857년 보수
공포이하 부분에서 개칠 흔적이 다분히 나타남

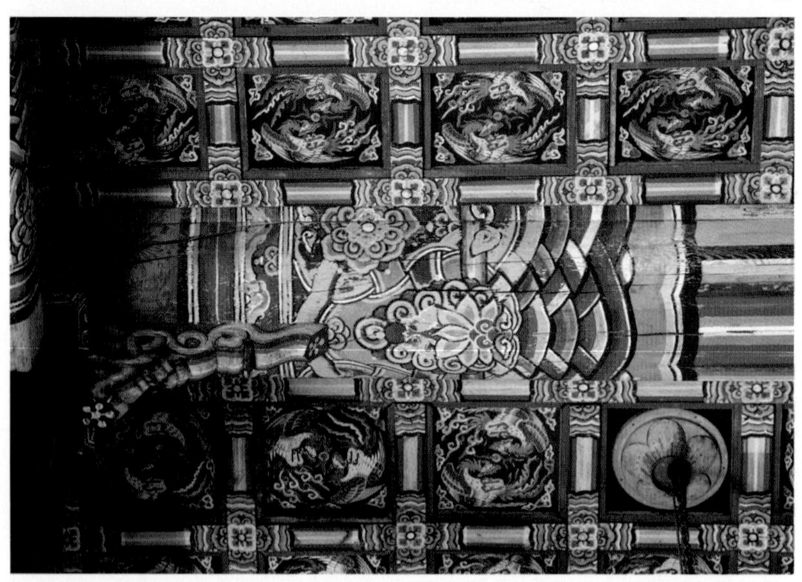

내부 대량 및 반자부분
반자와 대량 등 천정부분은 고색단청이 남아 있음

창덕궁 인정전 내부 천장중심의 보개장

창덕궁 선원전

1900년 증건
외부단청은 1990대에 개칠

내부 전경. 1900년 중건 시 개칠된 단청이 전해짐

내부 천장 전경. 1900년 중건

선암사 대웅전

내부 전경. 1824년 재건

외부 전경. 1824년 재건

대웅전 내부 천장, 1824년 재건 시 단청

미황사 대웅전

내부 단청

송광사 국사전

내부 단청

경복궁 사정전

외부 전면. 1990년대 단청개칠

외부 전경. 1990년대 단청개칠

내부. 1867년

1867년에 채화된 사정전 내부단청

덕수궁 중화전

외부 전면

내부 천장 단청. 1906년

내부 단청. 1906년

I
전통안료의 문헌사료 개관

고대에서 중세까지 현전하는 전통안료에 대한 문헌사료는 그야말로 박약하다. 특히 삼국시대의 자료는 전무하며, 고려시대의 사료는 우리의 것이 아닌 송나라 『영조법식』을 통해서만 간접적인 파악이 가능하다. 그러나 조선시대는 단청에 사용된 각종 채색재료를 확인할 수 있는 사료가 상당수 전한다. 궁궐의 영건사업이 활발히 진행되면서 공사의 전말을 기록한 『영건의궤』의 편찬이 활발했던 탓이다. 이를 통하여 전통적으로 사용되었던 안료의 명칭과 유래를 분석할 수 있음은 지극히 다행한 일이다. 그런데 불화에 사용된 안료의 기록은 전무하다. 그러나 현전하는 단청채색과 불화의 채색이 크게 다르지 않음을 감안한다면 단청의 안료가 그대로 불화에 사용된 것으로 보아도 무리가 없을 것이다.

『영조법식』은 중국 북송시대 이계李誡가 편찬한 토목건축의 종합기술서이다[1]. 북송 전기의 영건사업은 주로 태종 때의 유명한 목공 유호喻皓가 지은 『목경木經』을 참조로 시공되었다. 그러나 사회경제적 변화에 따라 건축의 규모도 커지고 양식의 변화

1) 이계는 중국 북송 때의 관료이자 학자이며, 자는 명중(明仲)이고, 허난성[河南省] 출신이다. 장작감승(將作監丞) · 소감지감(少監至監)을 지냈으며 작감 관직에 있는 동안 대규모 토목공사를 완공했다. 1085년 허베이성[河北省] 전운사(轉運使)였던 아버지를 도운 공으로 교사재랑(郊社齋郎)에 임명되었으며, 이어 조주제음현위(曹州濟陰縣尉)에 발탁되었다. 1092년에는 장작감주부(將作監主簿)에 임명된 후 장작감승(將作監丞) · 소감지감(少監至監)을 지냈다. 이계가 다시 편찬한 『영조법식』은 토목건축의 참고서로 평가받고 있다.

로 인하여 그 실효성이 점차 줄어들었다. 이에 북송의 제6대 황제 신종神宗은 장작감에 칙령을 내려 『영조법식』의 편찬을 명했다. 1091년에 초간된 『영조법식』은 그 내용이 실제 활용할 수 없을 만큼 빈약했다. 이에 1097년에 다시 이계가 재편찬을 하게 되었고, 1100년(원부元符3)에 저술이 끝나고 1103년(숭녕崇寧2)에 간행에 이르렀다. 현재 34권으로 전해지는 『영조법식』의 도양圖樣 편에는 건축단청의 문양과 안료에 대한 내용이 상세히 기록되었다. 이를 통하여 당시 사용된 각종 안료의 종류와 명칭을 파악할 수 있다. 북송과 고려는 문화적으로 밀접한 교류를 가졌다. 각종 사료를 통하여 예로부터 국내에서 사용된 주요 안료의 대부분이 중국에서 유입된 것으로 확인된다. 이를 전제한다면 『영조법식』에 기록된 안료와 고려시대의 안료가 크게 다르지 않음을 알 수 있다. 또한 『영조법식』에 기록된 안료의 내용은 그 이전으로부터 대대로 전해진 역사적 단편들을 종합한 것이다. 따라서 고려시대 이전의 안료에 대한 전모를 추정하기에도 사료적으로 중요한 가치가 있다.

조선시대의 주요 자료는 『영건도감의궤』이다. 도감의 설치는 고려로 거슬러 올라간다. 고려시대 초기부터 국가적 중대사가 있을 때 이를 효율적으로 관장하기 위한 임시행정기관인 도감都監이 설치되었다. 특히 각종 영건사업을 담당한 도감의 설치는 주목되는 부분이다. 961년(광종 12)에 궁궐의 축조를 위한 궁궐도감이 처음 설립되었으며, 수영궁궐도감修營宮闕都監으로 명칭이 바뀌면서 건축의 수리와 영건을 담당했다.

조선시대에는 궁궐과 능원 등 국가적인 영건사업이 더욱 빈번하게 일어났다. 새로운 건축을 짓거나, 화재로 소실된 건물의 재건사업이 활발했으며, 건물의 증축이나 수리도 많았다. 그 때마다 영건도감이나 중건도감이 설치되어 공사를 진행했다. 공사가 끝나면 의궤도감을 설치하거나 주무관청이 주관이 되어 공사와 모든 관련문서를 정리, 편집하여 종합보고서인 의궤를 만들었는데 그것이 곧 『영건도감의궤』이다. 현재까지 조사된 조선시대의 궁궐과 능원 등 각종 건축의 창건 · 중건 · 증건 · 수리 등을 기록한 영건의궤는 총 93건에 달한다.

영건의궤는 대체적으로 좌목座目 · 도형圖形 · 이문移文 · 내관來關 · 품목稟目 · 감결甘結 · 실입實入 · 상전賞典 · 공장工匠 · 의궤 등의 목차로 구성되었다. 공장편에는 공사에 참여한 각 분야의 장인들이 기록되었는 바, 단청장으로 활동했던 화원 · 화사 · 화승 등의 이름이 포함되고 있다. 실입편에는 공사에 사용된 각종 재료와 도구가 기록되었는 바, 이를 통하여 단청에 사용되었던 각종 안료의 종류를 확인할 수 있는 것이다. 따라서 본 연구는 조선시대 문헌사료에 기록된 각종 안료의 종류를 파악하고, 각 안료의 특성과 산지 등을 분석해보고자 한다. 지금까지 파악된 조선시대의 각종 영건도감은 다음의 표와 같다.

조선시대의 각종 영건도감의궤 목록

순번	책명	서기	왕력	소장처	도서번호
1	[懿仁后]山陵都監儀軌	1600.6	선조 33	규장각	14826
2	[懿仁王后]山陵都監儀軌	1601	선조 34	장서각	
3	穆陵修改儀軌	1609	광해 01	장서각	
4	[宣祖穆陵]遷陵都監儀軌	1630.12	인조 08	규장각	13515
5	[仁穆后]山陵都監儀軌	1632.11	인조 10	규장각	13517
6	[昭顯世子]墓所都監儀軌	1645	인조 23	장서각	
7	昌德宮修理都監儀軌	1647	인조 25	장서각	
8	儲承殿儀軌	1648	인조 26	장서각	
9	[仁祖長陵]山陵都監儀軌	1649.5	효종즉위	규장각	15074
				장서각	2-2367
10	昌德宮昌慶宮修理都監儀軌	1652.3	효종 03	규장각	14912
11	昌德宮萬壽殿修理都監儀軌	1656	효종 07	장서각	
12	[孝宗寧陵]山陵都監儀軌	1659.5	현종즉위	장서각	2-2320
13	永寧殿修改都監儀軌	1667	현종 08	장서각	
14	[孝宗寧陵]遷奉都監儀軌	1673.10	현종 14	규장각	13532
15	[孝宗寧陵]遷陵山陵都監儀軌	1673.10	현종 14	장서각	2-2321
16	[仁宣后]山陵都監儀軌	1674.2	현종 15	장서각	2-2322
17	[顯宗崇陵]山陵都監儀軌	1674.8	숙종즉위	규장각	15076
				장서각	2-2323
18	南別殿重建廳儀軌	1677.7	숙종 03	규장각	14353
19	[仁敬后]山陵都監儀軌	1680.10	숙종 06	장서각	2-2324
20	[明聖后]崇陵山陵都監儀軌	1683.12	숙종 09	장서각	2-2325
21	[莊烈后]山陵都監儀軌	1688.8	숙종 14	장서각	2-2326
22	獻陵碑石重建廳儀軌	1695.6	숙종 21	규장각	13501
23	[端宗]莊陵封陵都監儀軌	1698.11	숙종 24	장서각	2-2368
24	莊陵修改都監儀軌	1699.7	숙종 25	규장각	13505

순번	책명	서기	왕력	소장처	도서번호
25	[仁顯王后]山陵都監儀軌	1701.8	숙종 27	규장각	14824
				장서각	2-2327
26	御容圖寫都監儀軌	1713	숙종 39	장서각	
27	[肅宗明陵]山陵都監儀軌	1720.6	경종즉위	장서각	2-2328
28	[景宗懿陵]山陵都監儀軌	1724.8	영조 01	장서각	2-2329
29	[眞宗永陵]墓所都監儀軌	1728.11	영조 04	규장각	14835
				장서각	2-2313 2-2314
30	[仁祖長陵]遷奉山陵都監儀軌	1731.8	영조 07	장서각	2-4803
31	明陵改修都監儀軌	1744	영조 20	장서각	
32	眞殿[永禧殿]重修都監儀軌	1748.2	영조24	규장각	14913
				장서각	2-3595
33	懿昭廟營建廳儀軌	1752	영조 28	장서각	
34	[貞聖后]山陵都監儀軌	1757.2	영조 33	규장각	13591-1-2
35	[仁元后]山陵都監儀軌	1757.3	영조 33	규장각	13560-1-2
36	[莊祖永祐園]墓所都監儀軌	1762	영조 38	장서각	
37	垂恩廟營建廳儀軌	1764.10	영조 40	규장각	13631
38	健元陵丁字閣重修都監儀軌	1764	영조 40	장서각	
39	貞陵表石營建廳儀軌	1770	영조 46	장서각	
40	眞殿重修都監都廳儀軌[永禧殿]	1772.6	영조 48	규장각	14237
				장서각	2-3596
41	眞殿重修營建廳儀軌	1773	영조 49	장서각	
42	[英祖]殯殿都監儀軌	1776.3	정조즉위	규장각	13583의1
43	[英祖元陵]山陵都監儀軌	1776.3	정조즉위	규장각	13585-1-2
44	景慕宮改建都監儀軌	1776.10	정조즉위	규장각	13633
				장서각	2-3556
45	元陵改修都監儀軌	1783	정조 07	장서각	
46	文孝世子墓所都監儀軌	1786	정조 10	장서각	

순번	책명	서기	왕력	소장처	도서번호
47	[莊祖]顯隆園遷園儀軌	1789.10	정조 13	규장각	13629
48	[莊祖]顯隆園園所都監儀軌	1789.10	정조 13	규장각	13627-1-2
49	[正祖]健陵山陵都監儀軌	1800.6	순조즉위	규장각	13640-1-2
50	華城城役儀軌	1801	순조 01	장서각	
51	健陵改修都監儀軌	1803	순조 03	장서각	
52	[貞純王后]元陵山陵都監儀軌	1805.1	순조 05	규장각	13597-1-2
53	仁政殿營建都監儀軌	1805	순조 05	장서각	
54	康陵改修都監儀軌	1807	순조 07	장서각	
55	[孝明世子]元子阿只氏藏胎儀軌	1809.12	순조 09	규장각	13969
56	[獻敬王后]顯隆園園所都監儀軌	1815.12	순조 15	규장각	13617-1-2
57	[正祖]健陵遷奉都監儀軌	1821.9	순조 21	규장각	13658
58	[翼宗]延慶墓所都監儀軌	1830	순조 30	장서각	
59	西闕營建都監儀軌	1832	순조 32	장서각	
60	昌慶宮營建都監儀軌	1830. 8~ 1834. 4	순조 34	규장각	14324
				장서각	2-3597
61	昌德宮營建都監儀軌	1834	헌종즉위	장서각	
62	[純祖仁陵]山陵都監儀軌	1834.77	헌종즉위	규장각	13677-1-2
63	[翼宗大王]胎室加封石欄干造排儀軌	1836.3	헌종 02	규장각	13970
64	宗廟永寧殿增修都監儀軌	1836.3	헌종 02	규장각	14227-1-2
				장서각	2-3589
65	影幀摸寫都監儀軌	1837	헌종 03	장서각	
66	[孝顯后]景陵山陵都監儀軌	1843.8	헌종 09	규장각	13809-1-2
67	[文祖]綏陵山陵都監儀軌	1846	헌종 12	장서각	
68	[憲宗]景陵山陵都監儀軌	1849.6	철종즉위	규장각	13793-1-2
69	[文祖]綏陵遷奉山陵都監儀軌	1855	철종 06	장서각	
70	徽慶園遷奉都監儀軌	1855	철종 06	장서각	
71	[純祖]仁陵遷奉都監儀軌	1856.10	철종 07	규장각	13713-1-7

순번	책명	서기	왕력	소장처	도서번호
72	仁政殿重修都監儀軌	1857.12	철종 08	규장각	14343
				장서각	2-3577
73	[純元王后]仁陵山陵都監儀軌	1857	철종 08	장서각	
74	永禧殿[南殿]增建都監儀軌	1858.6	철종 09	규장각	14354
				장서각	2-3592
75	[哲宗睿陵]山陵都監儀軌	1863.12	고종즉위	규장각	13851-1-2
76	太祖大王胎室修改儀軌	1866.7	고종즉위	규장각	14942
77	[哲仁后睿陵]山陵都監儀軌	1878.5	고종 15	규장각	13871-1-2
78	[神貞后]綏陵山陵都監儀軌	1890.4	고종 27	규장각	13749-1-2
79	[明成皇后]洪陵山陵都監儀軌	1895.10 ~1898	고종 32	규장각	13892-1-2
80	肇慶壇營建廳儀軌抄	1899.6	광무 03	규장각	古4256.5-1
81	永禧殿營建都監儀軌	1900.4	광무 04	규장각	14243
				장서각	2-3575 2-3576
82	景福宮昌德宮增建都監儀軌(眞殿)	1900.12	광무 04	규장각	14230
				장서각	2-3558 2-3592
83	綏陵陵上莎草改修都監儀軌	1900	광무 04	장서각	
84	增建都監儀軌	1900	광무 04	장서각	
85	影幀摹寫都監儀軌	1901	광무 05	장서각	
86	[慶運宮]眞殿重建都監儀軌	1901.6	광무 05	규장각	14238
				장서각	2-3594
87	肇慶壇浚慶墓永慶墓營建廳儀軌	1901.12	광무 05	규장각	14255-1-2
				장서각	2-3581
88	孝定王后景陵山陵都監儀軌	1903	광무 07	장서각	
89	慶運宮重建都監儀軌	1904~ 1906.12	광무 10	규장각	14328-1-2

순번	책명	서기	왕력	소장처	도서번호
90	中和殿營建都監儀軌	1904.2 ~1907	융희 01	규장각	14345
91	高宗太皇帝山陵主監儀軌	1919.1.21 ~3.4	장서각	2-2284	
92	純宗孝皇帝裕陵山陵主監儀軌	1926.4.26 ~6.12	장서각	2-2339	
93	園幸乙卯整理儀軌	1795	정조 19	장서각	

Ⅱ
『영조법식』에 기록된 전통안료

1. 『영조법식』의 국내유입 방증자료

고려불화는 능숙한 철선묘법과 고격한 빛깔의 조화로서 세계적 관심을 받고 있는 우리의 전통채색화이다. 그러나 고려시대에 불화나 단청에 사용되었던 안료를 기록한 국내의 문헌사료는 전해지지 않는다. 따라서 당시에 사용되었던 각종 안료의 종류와 명칭을 파악할 수 있는 직접적인 사료가 없는 셈이다.

북송시대 이계가 편찬한 건축종합기술서인 『영조법식』에는 단청문양과 함께 당시 사용되었던 각종 안료에 대한 내용이 상세히 기술되었다. 그런데 그 책에 실린 문양과 동일한 것들이 국내의 단청유구에서 발견되어 큰 주목을 받았다. 2002년에 한국 최고最古의 건축물인 봉정사 극락전의 대대적인 보수공사가 시행되었다. 수리 과정의 일환으로 부재를 전면해체하여 각 부재의 단청문양을 모사했다. 오랜 세월동안 빛깔의 퇴색과 더불어 쌓인 먼지가 문양의 표면에 고착되어 육안으로 구분이 불가능한 상태였다. 따라서 희미한 단청 문양을 보다 효과적으로 모사하기 위하여 적외선 촬영방법이 이용되었다. 그 결과 많은 부재에서 옛 단청의 문채가 드러났다. 그 가운데 놀라울만한 내용이 밝혀졌다. 『영조법식』의 단청 문양과 동일하거나 유사한 패턴이 무더기로 확인된 것이다.[2]

---

2) 『봉정사극락전 수리 · 실측보고서』, 문화재청, 2003년 8월, 102~103쪽

중국에서는 사장되어가는 『영조법식』의 쇄문瑣文이 오히려 우리나라에서 금문錦文으로 전승 · 발전된 상황을 고려하면 그리 놀라운 일이 아닐 수 있다. 그러나 중국에서는 단 하나의 사례도 남지 않은 『영조법식』 단청문양의 유구가 고려시대의 건축에서 확인된 것이다. 이것은 『영조법식』의 국내 유입과 직접적인 활용을 확인할 수 있는 획기적인 발견이라 하겠다. 또한 당시 고려와 북송의 건축단청양식에 대한 동질감을 엿볼 수 있는 단초이다. 고려와 북송 간에 긴밀한 문화교류를 통해서만 가능한 일이며, 실로 밀접한 교류의 산물인 셈이다. 따라서 『영조법식』에 기록된 단청안료 역시 고려시대에 사용된 단청안료와 상통하는 것으로 보아도 무리가 없을 것이다. 즉, 『영조법식』에 수록된 안료의 전모를 분석하는 것이 고려시대의 안료를 이해하는 데에 필수불가결한 일이라 하겠다.

2.『영조법식』의 안료 해석

『영조법식』「총제도, 채화작」편에는 안료에 대한 다양한 제조 기법이 기술되었다. 그 내용을 안료의 종류를 중심으로 간추리면 다음과 같다.

(1) 조색법調色法 - 색을 만드는 방법[3)]

◎ 백토白土 - 차토茶土도 동일- 먼저 청정한 것을 골라 취해서, 연한 아교 탕에 담그고,(이하 탕을 쓰는 경우는 동일하되, 열탕의 경우는 다르다) 잠시 동안 풀어지기를 기다린다. 다음 세화細華(극세한 것)를 모두 선별하여 별도 용기에 옮겨 담고, 가라앉아 윗물이 맑아지면 용기를 기울여 맑은 물을 따라내고, 다시 아교액을 적당히 넣어 사용한다.[4)]

◎ 연분鉛粉 - 먼저 극세하게 갈아서 만든 가루를, 약간 진

3)『營造法式』「彩畵作」第1節 總制度2, 調色之法

4) 앞의 책, 調色之法

白土, 茶土同, 先揀擇令淨, 用薄膠湯, 凡下云用湯者同, 其稱熱湯者非, 後同, 浸少時候化, 盡淘出細華, 凡色之棧細而淡者, 皆謂之華, 後同, 入別器中, 澄定, 傾去淸水, 量度再入膠水, 用之,

한 아교액으로 혼합한다.(진금眞金을 붙이는 바탕에는 모두 부레교액을 섞는다) 다시 열탕을 주입하고 잠시 동안 담갔다가, 약간 식으면 그릇을 기울여 따라내고, 다시 탕을 주입하고 혼합해서 적당한 농도로 사용한다.[5)]

◎ 대자석大赭石 – 토주土朱, 토황土黃과 동일, 만일 덩어리가 작으면 찧지 않는다 – 먼저 찧어서 미세한 분말로 만든 다음 탕에 풀어 녹여 색을 수비하고, 극세한 것을 취한다. 바닥에 가라앉아 남은 모래와 굵은 것은 사용하지 않는다.[6)]

◎ 등황藤黃 – 필요한 양을 생각해서 적량을 취하여, 미세하게 갈아서 열탕을 주입하여 풀어 녹이고, 바닥에 가라앉은 모래와 같은 침전물을 버린다. 아교액을 사용하지 않는다.[7)]

---

5) 앞의 책

鉛粉, 先研令極細, 用梢濃膠水, 和成劑, 如貼眞金地, 並以鰾膠水, 和之, 再以熱湯, 浸少時, 候梢溫, 傾去, 再用湯研化, 令稀稠, 得所用之.

6) 앞의 책

大赭石, 土朱, 土黃同, 如塊小者, 不擣, 先擣令極細, 次研以湯, 淘取華, 次取細者, 及澄去砂石麤脚不用.

7) 앞의 책

藤黃, 量度所用, 研細, 以熱湯化, 淘去砂脚, 不得用膠,

◎ 자광紫礦 - 먼저 갈라서 속 중심의 면綿의 무색無色 부분을 제거한다. 다음은 표면의 좋은 색 부분을 열탕하고, 쥐어짜서 즙을 내어, 탕을 조금 넣어서 사용한다. 만일 꽃심 내의 알담斡淡이나, 혹 붉은 바탕 속 깊은 부분의 것을 쓰려는 경우에는 볶아서 좋은 빛깔의 것을 골라 사용한다.[8)]

◎ 주홍朱紅 - 황단黃丹도 동일 - 아교수로 녹여서 적당한 농도로 사용한다.[9)]

◎ 나청螺靑 - 자분紫粉도 동일 - 우선 갈아서 미세하게 하고, 탕에 풀어서 맑은 것을 취해서 사용한다.[10)]

◎ 자황雌黃 - 먼저 찧고 갈아서 모두 충분히 극세하게 만든다. 열탕으로 수비해서 세화細華한 것을 별도 용기에 옮긴다. 맑은 물은 버리고, 아교수를 넣어 사용한다.[11)]

---

8) 앞의 책

紫礦, 先擘開, 撏去心內綿無色者, 次將綿上色深者, 以熱湯, 撚取汁, 入少湯用之, 若於華心內斡淡, 或朱地內壓深用者, 熬令色心者, 得所用之.

9) 앞의 책

朱紅, 黃丹同, 以膠水調, 令稀稠, 得所用之, 其黃丹......

10) 앞의 책

螺靑, 紫粉同, 先研令細, 以湯調, 取靑用, 螺靑, 澄去淡脚......

11) 앞의 책

雌黃, 先擣, 次研, 皆要極細, 用熱湯, 淘細華於別器中, 澄去淸水, 方入膠

(2) 친색법襯色法 - 색을 혼합하는 방법

◎ 청靑 - 나청螺靑에 연분鉛粉을 2:1의 비율로 혼합

◎ 녹綠 - 괴화즙槐華汁에 나청螺靑과 연분鉛粉을 혼합

◎ 홍紅 - 자분紫粉에 황단黃丹을 혼합[12]

(3) 취석색법取石色法 - 석채를 만드는 방법

생청生靑 - 층청層靑과 동일 - 석록石綠 · 주사朱砂는 모두 각각 빻아서 미세하게 한다. 탕을 사용하여 수비하고 위에 뜬 불용의 토석과 악수惡水는 제거한다. 다음 수면 바로 아래 담색 부분을 취해서 별도 용기에 담는다. 건조 후 갈아서 미세하게 만든다. 탕으로 수비하고 묽게 해서 가볍고 무거운 색으로 분리하여 각기 별도의 용기에 담는다. 제일 먼저 수면에 뜬 색의 묽은 부분을 취한 것을 '청화靑華'라 한다. 석록은 '녹화綠華', 주사는 '주화朱華'라 한다. 두 번째 색의 약간 깊은 부분의 것을 '삼청三靑'이라 한다. 석록은 '삼록三綠', 주사는 '삼주三朱'라 한다. 또한 그 아래 색의 좀 더 깊은 부분의 것을 '이청二靑'이라 한다. 석록은 '이록二

水, 用之, ...

12) 앞의 책, 襯色之法
靑, 以螺靑, 合鉛粉, 爲之, 鉛粉二分, 螺靑一分.
綠, 以槐華汁, 合螺靑, 鉛丹, 爲地, 粉靑同上, 用槐華, 一錢, 熬汁
紅, 以紫粉, 合黃丹, 爲之.

綠', 주사는 '이주二朱'라 한다. 그 아래 색의 최고 무거운 부분은 '대청大靑'이라 한다. 석록은 '대록大綠', 주사는 '심주深朱'라 한다. 수비하여 맑은 물은 용기를 기울여 따라내고, 건조시켜 만든다. 사용 시 적당한 양에 아교수를 넣어서 사용한다.[13)]

이상과 같이 당시 안료는 찧고 갈아서 미세한 분말로 만들고, 탕으로 수비하여 맑은 것을 정제하여 사용했다. 석채의 경우는 다시 갈아서 수비하고, 위로부터 가벼운 것을 차례로 취하여 색의 명도를 구분하였음을 알 수 있다. 또한 괴화槐華와 자광紫礦과 같이 식물의 꽃이나 열매에서 즙을 내거나, 볶아서 탕으로 정제하여 만든 것도 있다.

---

13) 『營造法式』「彩畫作」第1節 總制度

取石色之法

生靑 層靑同 石綠 朱砂 並各先擣 令略細(若浮淘靑 但研令細) 用湯淘出 向上土石惡水不用 收取近下水內淡色 入別器中 然後 研令極細 以湯淘 澄分色輕重 各入別器中 先取水內色淡者 謂之靑華(石綠者 謂之綠華 朱砂者謂之朱華) 次色稍深者 謂之三靑(石綠 謂之三綠, 朱砂 謂之三朱) 又色漸深者謂之二靑(石綠 謂之二綠, 朱砂 謂之二朱) 其下色最重者 謂之大靑(石綠 謂之大綠, 朱砂 謂之深朱) 澄定傾去淸水 候乾 收之 如用時 量度 入膠水 用之

3.『영조법식』에 기록된 안료의 종류

『영조법식』「채화작」 제2절 요례料例편에는 목재 · 공안벽栱眼壁 · 조목화판彫木華版 등에 칠하는 단청안료의 배합에 대하여 상세히 기술되었다. 그 내용에 수록된 안료의 종류는 다음과 같다.[14]

정분定粉, 묵매墨煤, 토주土朱, 백토白土, 토황土黃, 황단黃丹, 자황雌黃, 합청화合靑華, 합심청合深靑, 합주合朱, 합대청合大靑, 생이록生二綠, 상사자분常使紫粉, 등황藤黃, 괴화槐華, 중면연지中綿胭脂, 묘화세묵描畵細墨, 숙동유熟桐油

이상의 내용을 종합하여 각종 안료를 계열별로 분류하면 아래와 같다.

◎ 백색 안료 : 정분定粉, 백토白土, 연분鉛粉
◎ 흑색 안료 : 묵매墨煤 , 묵細墨
◎ 황색 안료 : 토황土黃, 등황藤黃, 괴화槐華, 자광紫礦
◎ 적색 안료 : 주홍朱紅, 주사朱砂, 주화朱華, 삼주三朱, 이주二朱, 심주深朱, 자분紫粉, 자광紫礦), 토주土朱, 황

14)『營造法式』「彩畵作」第2節 料例

단黃丹

◎ 청색 안료 : 나청螺靑, 석청石靑, 청화靑華, 삼청三靑, 이청二靑, 대청大靑

◎ 녹색 안료 : 석록石綠, 녹화綠華, 삼록三綠, 이록二綠, 대록大綠

◎ 기타 : 아교阿膠, 어교魚膠, 동유桐油

Ⅲ
조선시대 전통안료

1. 조선시대 영건의궤에 기록된 안료

현재까지 조사된 조선시대의 궁궐과 능원 등 각종 건축의 창건 · 중건 · 증건 · 중수 · 개수 등을 기록한 영건의궤는 총 93건에 달한다. 그 중에서 궁궐의 영건의궤에 단청안료의 기록이 가장 명확하다. 17세기 전반부터 20세기 초까지 주요 의궤에 기록된 단청의 채색재료는 다음과 같이 분류할 수 있다.

- 적색 계열 : 반주홍, 당주홍, 왜주홍, 주토, 석간주, 황단, 편연지, 장단, 주홍
- 녹색 계열 : 뇌록, 하엽, 당하엽, 향하엽, 석록, 삼록, 대록, 양록
- 청색 계열 : 석청, 청화, 삼청, 이청, 대청, 심중청, 양청
- 황색 계열 : 석자황, 석웅황, 동황, 당황
- 흑백 계열 : 진분, 정분, 당분, 진묵, 당묵, 송연
- 기타 재료 : 아교, 교말, 법유, 명유

17세기 전반부터 20세기 초반까지 창덕궁을 중심으로 건축단청이 시행된 14종의 『영건도감의궤』에 기록된 단청과 가칠에 주로 사용된 채색재료를 표로 열거하면 다음과 같다.

조선시대 주요 영건도감의궤에 기록된 단청안료

년도	의궤명	계열	안료명
1647	창덕궁수리도감의궤	적색	반주홍 · 당주홍 · 황단 · 주토
		녹색	뇌록 · 하엽 · 삼록
		청색	청화
		황색	석자황 · 동황
		흑백색	진분 · 정분 · 송연
1648	저승전의궤	적색	반주홍 · 당주홍 · 황단 · 주토
		녹색	뇌록 · 향하엽 · 당하엽 · 삼록
		청색	청화
		황색	동황
		흑백색	진분 · 정분 · 진묵
1667	영영전수개도감의궤	적색	반주홍 · 당주홍 · 황단 · 주토 · 연지
		녹색	뇌록 · 향하엽 · 당하엽 · 삼록
		청색	청화
		황색	석자황 · 동황
		흑백색	진분 · 정분 · 송연
1667	남별전중건청의궤	적색	반주홍 · 당주홍 · 황단 · 주토 · 연지
		녹색	뇌록 · 향하엽 · 당하엽 · 삼록 · 대록
		청색	청화 · 삼청 · 이청 · 대청 · 심중청
		황색	석자황 · 석웅황 · 동황
		흑백색	진분 · 정분 · 진묵 · 송연
1748	진전중수도감의궤	적색	당주홍 · 당황단 · 주토 · 편연지
		녹색	뇌록 · 하엽 · 당하엽 · 석록 · 삼록 · 대록
		청색	청화 · 삼청 · 이청 · 대청
		황색	석자황 · 석웅황 · 동황
		흑백색	진분 · 당분 · 정분 · 진묵

년도	의궤명	계열	안료명
1776	경모궁개건도감의궤	적색	반주홍 · 당주홍 · 왜주홍 · 황단 · 편연지
		녹색	뇌록 · 하엽 · 삼록
		청색	청화
		황색	석자황 · 동황
		흑백색	진분 · 진묵 · 송연
1805	인정전영건도감의궤	적색	반주홍·당주홍·상황단·황주주토·편연지
		녹색	뇌록 · 하엽 · 석록 · 삼록
		청색	청화 · 삼청 · 이청
		황색	석자황 · 석웅황 · 동황
		흑백색	진분 · 정분 · 진묵 · 송연
1832	서궐영건도감의궤	적색	반주홍 · 당주홍 · 상황단 · 당황단 · 황주주토 · 편연지 · 석간주
		녹색	뇌록 · 하엽 · 삼록
		청색	청화 · 이청 · 삼청
		황색	석자황 · 동황 · 당황
		흑백색	진분 · 정분 · 송연 · 진묵 · 청화묵
1834	창덕궁영건도감의궤	적색	반주홍 · 당주홍 · 상황단 · 주토 · 편연지 · 석간주
		녹색	뇌록 · 하엽 · 석록 · 삼록
		청색	삼청 · 이청
		황색	석자황 · 석웅황 · 동황 · 당황
		흑백색	진분 · 정분 · 송연 · 청화묵
1834	창경궁영건도감의궤	적색	반주홍 · 당주홍 · 상황단 · 당황단 · 주토 · 편연지 · 석간주
		녹색	뇌록 · 하엽 · 석록 · 삼록
		청색	삼청 · 이청
		황색	석자황 · 동황
		흑백색	진분 · 정분 · 송연 · 청화묵

년도	의궤명	계열	안료명
1857	인정전중수도감의궤	적색	반주홍 · 당주홍 · 왜주홍 · 상황단 · 당황단 · 편연지 · 석간주
		녹색	뇌록 · 하엽 · 석록 · 삼록
		청색	청화 · 삼청 · 이청
		황색	석자황 · 동황
		흑백색	진분 · 정분 · 송연 · 진묵 · 당묵
1900	경복궁창덕궁증건도감의궤	적색	당주홍 · 편연지 · 석간주 · 장단 · 주홍
		녹색	뇌록 · 하엽 · 석록 · 삼록 · 대록 · 양록
		청색	청화 · 삼청 · 이청 · 대청 · 양청
		황색	석웅황 · 당황
		흑백색	진분 · 정분 · 당분 · 송연 · 진묵 · 당묵 · 청화묵
1901	진전중건도감의궤	적색	당주홍 · 편연지 · 석간주 · 장단 · 주홍
		녹색	뇌록 · 하엽 · 양록
		청색	이청 · 양청
		황색	석자황 · 동황
		흑백색	진분 · 정분 · 송연 · 진묵 · 당묵
1906	중화전영건도감의궤	적색	당주홍 · 황단 · 편연지 · 석간주 · 편연지 · 장단 · 주홍
		녹색	뇌록 · 하엽 · 석록 · 삼록 · 양록
		청색	청화 · 삼청 · 양청
		황색	석자황 · 동황
		흑백색	진분 · 정분 · 송연 · 진묵

표에서 알 수 있듯이 처음부터 끝까지 지속적으로 사용된 안료가 있는 반면, 일부는 조선 후기에 새롭게 사용되기 시작했음

을 알 수 있다. 표의 내용을 분석한 결과를 종합하여 다음과 같은 몇 가지 특징으로 정리할 수 있다.

◎ 반주홍 · 당주홍 · 뇌록 · 하엽 · 삼록 · 청화 · 삼청 · 석자황 · 동황 · 진분 · 정분 · 진묵 · 송연 등은 영건도감의궤가 편찬되기 시작한 16세기 전반부터 20세기 초반까지 단청안료로서 지속적으로 사용되었음을 알 수 있다.

◎ 처음부터 사용되었던 주토는 19세기에 들어 석간주와 병행되다가 19세기 중반 이후에는 더 이상 사용되지 않았다.

◎ 석간주가 단청안료로서 본격적으로 사용되기 시작한 시기는 19세기 전반부터이다.

◎ 장단 · 주홍 · 양록 · 양청 등은 1900년에 기록된 『경복궁창덕궁증건도감의궤』부터 나타나기 시작하는 바, 19세기말에 국내에 처음 반입되어 사용되기 시작한 안료임을 알 수 있다.

안료의 원료가 되는 천연광물

주사석

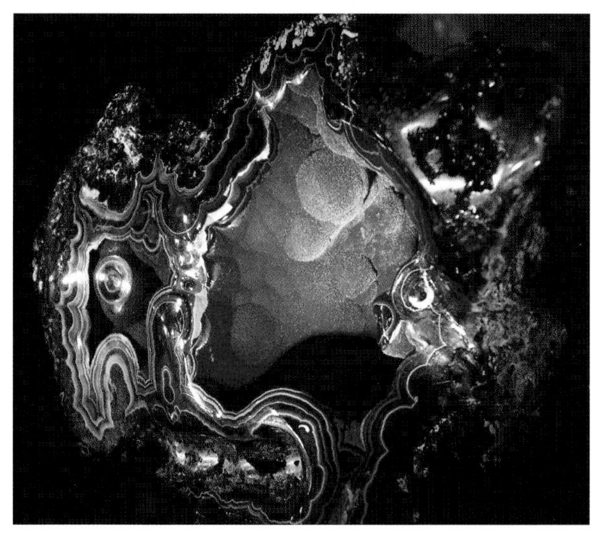

남동광석

남동광석과 공작석

공작석 절단면

남동광석

2. 적색 계열

조선시대 영건단청에 주로 사용되었던 단청안료 가운데 적색 계열은 반주홍 · 당주홍 · 왜주홍 · 황단 · 주토 · 편연지 · 석간주 장단 등이다. 각 안료별로 그 특성에 대하여 상세히 살펴보도록 하겠다.

● 당주홍(唐朱紅)

황화수은성분의 붉은색 안료로서 중국에서 수입했기 때문에 "당주홍唐朱紅"이라 부른다. 당주홍은 조선시대 각종 도감의궤에 2천 5백건이 넘는 기사가 확인되는 바 붉은색 가운데 가장 많이 사용된 전통안료이다. 명 말의 종합기술서 『천공개물』에는 당주홍의 원료인 주사朱砂에 대하여 "주사 · 수은 · 은주銀朱는 원래 같은 물질이다. 명칭이 다른 까닭은 그 질의 정교함과 조잡함, 오래된 것인가 새 것인가의 차이 때문이다. …… 상등급에 못미치는 주사는 약으로 쓸 수 없고, 갈아서 그림물감의 재료로 사용한다."라고 기록했다.[15] 당주홍에 관련한 가장 이른 국내사료는 1502년의 『연산군일기』연산군 8년의 기록이다. 이후 1926년의 『순종효황제어장주감純宗孝皇帝御葬主監』까지 오랜기간 지속적으로 사용되었음이

15) 송응성 지음, 최병규 역, 『천공개물』, 범우, 2009, 508쪽.

확인된다. 당주홍은 중국에서 수입했기 때문에 값이 매우 비쌌다. 『광해군일기』광해군 9년 정사의 기사에는 "당주홍 6백 근의 값을 헤아려보니 60동이나 되어 무역해오기가 아주 어렵습니다. 우리나라의 주홍으로 칠을 하는 것이 어떻겠습니까?"라는 내용이 있다.[16)]

---

16) 『광해군일기』광해군 9년 정사(1617, 만력 45)
〈신궐〉영건 도감이 아뢰기를, "당주홍(唐朱紅) 6백 근의 값을 헤아려보니 60동이나 되어 무역해오기가 아주 어렵습니다. 우리나라의 주홍(朱紅)으로 칠을 하는 것이 어떻겠습니까?" 하니, 전교하기를, "아뢴 대로 하라. 그리고 침전(寢殿)을 어찌 반드시 모두 주홍으로 칠할 필요가 있겠는가. 단지 바깥의 두 전만 말한 것이다. 그러나 이와 같이 아뢰니, 단지 조하(朝賀)받는 정전(正殿)의 기둥과 문을 칠할 당주홍만 무역해올 경우 그 숫자가 얼마나 되겠는지를 다시금 숫자를 헤아려서 아뢰라. 그리고 바깥 세 전의 월랑(月廊)과 문, 벽 및 대내의 전당(殿堂)과 누각을 모두 우리나라의 주홍으로 칠하는 일을 상세히 살펴 마련해서 미리 준비하였다가 상납하게 하라."하였다. (新闕)營建都監啓曰: "唐朱紅六百斤, 量其價, 則多至六十同, 貿得最難. 以我國朱紅着漆何如?" 傳曰: "依啓. 寢殿何必竝漆朱紅乎? 只云外二殿矣. 然如是啓之, 只朝賀正殿柱戶, 以唐朱紅貿來,

이에 따르면 당주홍 10근이 포목 1동 값에 해당된다. 화성 성역의 건축단청에 사용된 당주홍은 26근 13냥 2전이며, 근당 5냥이었음을 알 수 있다.[17)]

● 반주홍(礬朱紅)

반주홍은 조선시대 영건단청에 많이 사용된 붉은색 계열 안료이다. 반주홍은 건축단청뿐만 아니라 탁자 · 함 · 악기 등의 칠에도 다양하게 사용되었다. 1647년의 『창덕궁수리도감의궤昌德宮修理都監儀軌』로부터 1926년의 『순종효황제어장주감純宗孝皇帝御葬主監編』에 이르기까지 약 2천여 건에 달하는 기사가 확인된다. 반주홍과 유사한 명칭인 번주홍燔朱紅도 각종 도감의궤에 약 280여건 기록되었다. 그런데 건축의 영건 시 사용된 단청안료목록에 반주홍과 번주홍이 동시에 기록된 사료가 전무한 것으로 보아 동일한 원료에서 가공된 안료로 사료된다.

● 번주홍(燔朱紅)

번주홍은 붉은색 계열 전통안료로서 당주홍을 대신해 사용되었다. 『죽창한화竹窓閑話』에 기록된 번주홍의 산지는 황해도 평

則其數幾何, 更爲計量以啓. 且外三殿月廊,門,壁及大內殿堂樓閣, 竝以我國朱紅着漆事, 詳察磨鍊, 預令造備上納."

17) 경기문화재단(편), 『화성성역의궤 건축용어집』, 2007년, 512쪽.

산으로 확인된다.[18] 또한 『세종실록』세종 29년(1447) 기사에는 전라도 용담龍潭에서 번주홍의 원료인 수은석水銀石을 채취한 내용이 전한다.[19]

『영조실록』영조 16년 기사에는 원래 번주홍으로 칠했던 종묘의 신탑神榻(신위를 놓는 평상)이 수리할 때마다 당주홍으로 칠하여 색이 다르므로 모두 당주홍으로 칠하라는 내용이 있다.[20] 또한

---

18) 『죽창한화(竹窓閑話)』죽창한화(竹窓閑話) 찬성(贊成) 이덕형(李德泂) 저
대개 황해도는 땅은 비좁지만 물산은 몹시 많아서, 재목은 장산관(長山串)에서 나고, 백토(白土)는 해주(海州)에서 나고, 청토(靑土)는 은율(殷栗)에서 나고, 번주홍(燔朱紅)은 평산(平山)에서 나고, 돌석(堗石)은 수양산(首陽山)에서 나고, 장연(長淵)의 숯과 재령(載寧)의 쇠 등, 아무리 써도 다하지 않아서 집 짓는 백 가지 자료를 한결같이 모두 판비해낼 수 있었다. 大槪海西一道壤地偏小. 而物産甚夥. 材木産於長山串. 白土産於海州. 靑土産於殷栗. 燔朱紅産於平山. 堗石産於首陽山. 長淵之炭載寧之鐵. 取之不竭. 營建百具.

19) 『세종실록』세종 29년 정묘(1447, 정통12) 11월22일(신해) 최종기사
전라도 감사에게 이르기를, "도내의 용담(龍潭) 관할 안에 있는 동향(銅鄕)에서 산출하는 심중청석(深重靑石) · 수은석(水銀石)을 폐단 없이 채취하여 바치고, 또 산출의 많고 적은 것과 채취의 어렵고 쉬운 것을 갖추 아뢰라." 諭全羅道監司: "道內龍潭任內銅鄕産出深重靑石, 水銀石, 無弊採取以進. 且産出多少及採取難易, 具悉以聞."

20) 『영조실록』영조 16년 경신(1740, 건륭 5)
종묘(宗廟)의 신탑(神榻)을 모두 당주홍(唐朱紅)으로 고쳐 칠하라고 명하였는데, 예조참판(禮曹參判) 이익정(李益炡)이 아뢰기를, "각실(各室)의 신탑을 처음에는 번주홍(燔朱紅)으로 칠하였는데 수개(修改)할 때마다 당주홍으로 고쳤으므로 각실의 신탑은 그 색이 같지 않습니다." 하니, 임금이

『일성록』정조즉위년 기사에는 보책寶册을 보관할 책장을 만드는데, 때에 따라서 당주홍칠과 번주홍칠로 달리 기록되었다는 내용이 확인된다.[21] 이로서 번주홍이 당주홍과 유사한 색감의 안료였음을 알 수 있다. 『연행기사燕行記事』「문견잡기聞見雜記」의 내용 가운데 "자금성과 능묘의 곡장曲墻은 모두 붉은 흙으로 발랐는데, …(중략)… 그 품질이 우리나라 번주홍보다 나으나……"라는 기사에서 번주홍의 색감이 당주홍보다 다소 떨어지는 품질이었음이 추정된다.[22] 화성성역에 사용된 당주홍은 근당 5냥의 고가였음에

말하기를, "달라서는 안 되니, 모두 당주홍으로 고쳐 칠하고 이 뒤로는 정식(定式)으로 삼으라." 하였다.命宗廟神榻, 皆以唐朱紅改塗. 禮曹參判李益炡奏言: "各室神榻, 初以燔朱紅塗之, 而每當修改, 以唐朱紅改之, 故各室神榻, 其色不同." 上曰: "不可異同, 并以唐朱紅改塗, 後以爲式."

21) 『일성록』병신(1776, 건륭 41)
"보책(寶册)을 보관할 3층짜리 책장을 이번에 만들어야 하는데, 경자년 등록과 『상례보편』의 제구조(諸具條)에는 모두 당주홍칠(唐朱紅漆)로, 정축년 등록과 수교에는 번주홍칠(燔朱紅漆)로 기록되어 있습니다. 이번에는 어떻게 하는 것이 좋겠습니까?"하여, 수교대로 거행하라고 하교하였다.

22) 『연행기사(燕行記事)』「문견잡기(聞見雜記)」상(1777)
무릇 자금성(紫禁城)과 능묘의 곡장(曲墻)은 모두 붉은 흙으로 발랐는데, 저들은 이를 홍토(紅土)라고 한다. 그 품질이 우리나라 번주홍보다 나으나 곳에 따라 모두 좋고 나쁜 것이 있어 또한 각각 같지 않다고 한다. 凡紫禁城及陵廟曲墻. 皆墁以赭土. 渠輩稱以紅土. 其品勝於我國燔朱紅. 各處通有. 美惡亦各不同云.

반해 번주홍은 근당 1전 2푼에 불과했다.[23] 값으로 비교하자면 번주홍이 당주홍보다 훨씬 싼 안료였다.

왜주홍(倭朱紅)

일본에서 산출된 황화수은성분의 붉은색 안료이다. 왜주홍倭朱紅은 중국산 당주홍 및 국내산 반주홍 · 번주홍과 더불어 조선시대에 많이 사용된 주홍색 안료이다. 왜주홍의 국내 유입 시기는 불분명하다. 『세종실록』세종 11년(1429) 기사 가운데 "이번에 가져온 일본의 심중청석深重靑石과 수은석을 각 도로 나누어 보내어 그 모양의 돌을 널리 구하라"[24]는 내용과 같은 해의 "박서생이 일본에서 심중청深重靑 · 도은鍍銀 · 조지造紙 · 주홍朱紅 · 경분輕粉 등의 제조법을 갖추어 아뢰다."[25]라는 내용이 전한다. 이것은 이미 조선 초기부터 왜주홍의 국내 소요가 많았음을 간접적으로 알 수 있는 내용이다. 그런데 '제조법'이라 한 것에서 주홍의 원료가 천연진사석이 아닌, 수은을 산화시켜 얻은 황화수은으로 제조한 인공 은주銀朱일 가능성이 농후하다. 또한 『조선왕조

23) 경기문화재단(편), 『화성성역의궤 건축용어집』, 2007년, 512쪽.
24) 『세종실록』세종 11년 기유(1429, 선덕 4) 12월 23일(을미) 최종기사
……蕆又啓: "今來日本深重靑石及水銀石, 請分送各道依樣廣求,……
25) 『세종실록』세종 11년 기유(1429, 선덕4) 12월 3일(을해) 최종기사
朴瑞生又具啓, 日本深中靑, 鍍銀, 造紙, 朱紅, 輕粉之法, 皆留之.

실록』선조 35년(1602)의 기사에는 왜주홍이 구하기 어려운 것으로 기록되었다.[26] 번주홍과 당주홍이 건축단청에 자주 사용된 반면 왜주홍은 왕실의 교명궤敎命樻, 독보상讀寶床, 독책상讀冊床, 보록寶盝, 신장神欌 등 소목의 가칠에 주로 사용되었다. 그러나 1824년 『현사궁별묘영건도감의궤』의 단청소입丹靑所入[27] 기록과 같이 왜주홍이 단청에도 사용되었음은 분명한 일이다.

주토(朱土)

붉은색 흙에서 산출되는 산화철을 주성분으로 하는 전통안료이다. 주토 · 석간주 · 인도의 벵갈라(Bengala) · 대자代赭 등은 산화철을 주원료로 하는 대표적인 무기안료이다. 주토는 도감의궤에 1천 5백여 건이나 기록될 만큼 조선시대에 많이 사용된 단청안료였다. 『성종실록』 성종 5년(1474, 성화10) 기사에 "종묘의 기둥에 주토朱土를 바른 것이 비가 오면 곧 뭉개져 흐려지고……"라는 내용에서 주토는 주로 건축의 기둥에 칠했음을 알

---

26) 『선조실록』선조 35년 임인(1602, 만력 30) 5월 27일(무자) 최종기사
……구하기 어려운 왜주홍(倭朱紅) 같은 것도 모두 시중의 백성들에게 책임지우고…… 至於難得如倭朱紅, 亦皆責辦於市民……

27) 『현사궁별묘영건도감의궤』1824.
丹靑所入 倭朱紅四兩 唐朱紅三斤十二兩 荷葉五斤 眞粉四斤 同黃一斤 黃丹六斤 石紫黃六兩 靑花墨二十丁 片臙脂四十片 二靑十五兩 三碌四斤 松煙二斤 阿膠九斤 丁粉三斗 炭一石一斗五升 石間朱十四斤六兩 黃蜜一兩

수 있다.[28] 주토의 국내산지로는 다양한 지역이 확인된다. 『세종실록지리지』에 기록된 주토의 산지는 경기도 양주도호부 적성현, 충청도 충주목과 청주목, 경상도 안동대도호부 청송군, 강원도 회양도호부 이천현과 평강현, 강원도 원주목 횡성현, 황해도 황주목, 경상도 진주목 하동현 등이다. 그 중에서 황주산 주토가 주로 사용되었음이 사료를 통하여 확인된다.[29]

『오주연문장전산고』에는 "울릉도에 큰 대밭[竹田] 세 군데와 주토朱土가 나는 굴窟 한 군데가 있는데, 주토는 매우 고와서 주사朱砂와 같다"[30]는 기사가 있다. 이와 더불어 울릉도에서 석간주가 생산되었다는 『국조보감』의 기사를 확인할 수 있다.[31] 이를

---

28) 『성종실록』성종 5년 갑오(1474, 성화10) 8월 3일(을유) 최종기사
"종묘(宗廟)의 기둥에 주토(朱土)를 바른 것이 비가 오면 곧 뭉개져 흐려지고……" "宗廟楹柱塗以朱土, 雨則輒漫漶……"

29) 황주주토(黃州朱土)는 『산릉도감의궤』顯宗 14(1673)를 비롯하여 각종의궤에 총 91건이 확인된다.

30) 『오주연문장전산고』「경사편5 - 논사류1」, 울릉도(鬱陵島)의 사적에 대한 변증설

31) 『국조보감』제52권 숙종조 12, 28년(임오, 1702)
5월. "삼척 영장(三陟營將) 이준명(李浚明)과 왜역(倭譯) 최재홍(崔再弘)이 울릉도에서 돌아와 그곳의 지도와 자단향(紫檀香) · 청죽(靑竹) · 석간주(石間朱) · 어피(魚皮) 등의 물건을 바쳤다. 울릉도는 2년씩 걸러 변장으로 하여금 윤번으로 가서 살피고 오는 것을 정식으로 하였는데, 올해가 삼척의 차례였기 때문에 이준명이 울진(蔚珍) 죽변진(竹邊鎭)에서 배를 타고 이틀 밤낮에 걸쳐 갔다가 돌아왔다."

바탕으로 『화성성역의궤 건축용어집』에서는 주토를 석간주나 철단鐵丹과 동일한 것으로 해석했다.[32] 그러나 조선시대 단청에 사용된 주토와 석간주를 동일한 안료로 보기에는 다소 무리가 따른다. 영건도감의 모든 기사에서는 주토의 수량을 석石 · 두斗 · 승升으로, 석간주의 수량은 근斤 · 양兩으로 다르게 표기했다. 특히 『문희묘영건청등록文禧廟營建廳謄錄』의 단청에 사용된 안료에는 주토와 석간주가 동시에 기록되고 있다. 『홍릉천봉주감의궤洪陵遷奉主監儀軌』 「각양의물各樣儀物」편의 전배前排의 취색取色에도 주토와 석간주의 동시기사가 확인된다.[33] 이것은 양자가 다른 것임을 알 수 있는 기사이다. 주토와 석간주의 성분은 산화철이 주성분으로 유사하다. 그러나 주토의 원료는 흙인 반면 석간주의 원료는 글자 그대로 "돌 사이에 끼인 붉은 색" 즉, 주토보다 산화철이 많이 함유된 돌에 가까운 것으로 사료된다.

---

32) 『한국민족문화대백과』에서도 석간주가 대자(代赭) · 자토(赭土) · 주토(朱土) · 적토(赤土) · 토주(土朱) 등으로 불려진다고 설명하고 있다.

33) 『문희묘영건청등록文禧廟營建廳謄錄』正祖 14年(1790)

丹靑所入

磊碌六斗 丁粉三斗五升 朱土三斗五升 唐朱紅十斤八兩 荷葉十三斤 同黃十三兩 靑花二斤半 眞粉九斤 三碌十八斤半 黃丹五斤 石紫黃一斤十四兩 片臙脂四十三片 石磵朱五斤 眞墨五丁 松煙一斤半 磻朱紅八斤 阿膠八斤

『홍릉천봉주감의궤洪陵遷奉主監儀軌』「각양의물各樣儀物」

機前排取色 朱土一合 磻朱紅 石磵朱 魚膠 各一兩 唐朱紅二錢……

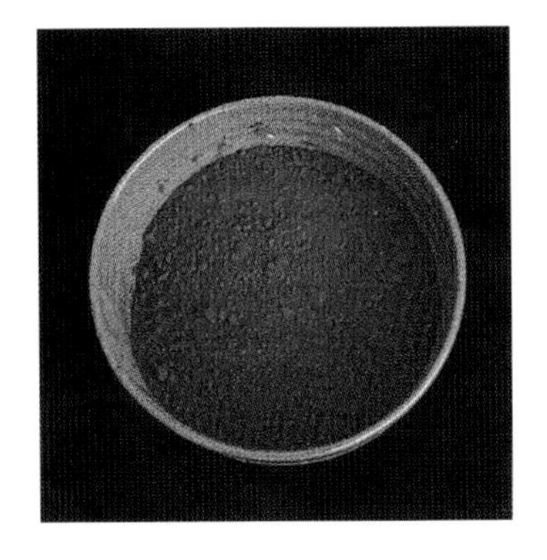

석간주(石澗朱/石間朱/石磵朱)

석간주는 철 산화물이 많이 함유된 산화제이철酸化第二鐵 성분의 붉은 안료로서 조선시대 단청과 도자기의 채화재료로 많이 사용되었다. 사료에서 '간'자의 한자표기가 '澗'·'間'·'磵' 등으로 표기되었는데, 여기에서 '澗'과 '磵'은 동일한자이므로 절대다수를 차지한다. 석간주의 가장 이른 사료는 『승정원일기』인조 12년(1634)의 "석간주石間朱로 기화起畫하여 화룡준을 구워 만들어 당차唐差를 접견할 때 모두 이것으로 썼습니다"라는 기사이다.[34]

---

34) 『승정원일기』인조 12년 갑술(1634, 숭정7) 5월 18일(계묘)
사옹원이 제조(提調)의 뜻으로 아뢰기를, "천사에게 연향을 베풀 때 소용되는 화룡준(畫龍樽)에 대하여 전일에는 화룡준을 빌려 썼는데 그것을 지고서 왕래할 적에 그림이 벗겨지는 폐단이 많이 있었습니다. 그러므로 본원(本院)에서 값을 준비했다가 부경(赴京)하는 역관에게 주고서 사오도록 한 일이 비일비재하였습니다. 그런데 역관 등이 칭탈(稱頉)하고

또한 『영조실록』영조 30년(1754) 기사에 "자기磁器의 그림에는 예전에 석간주를 썼는데, 이제 들으니 회청回靑으로 그린다고 한다. 이것도 사치한 풍습이니, 이 뒤로 용준龍樽을 그리는 외에는 일체 엄금하도록 하라."는 내용이 있다.[35] 이를 통하여 17~18세기에 석간주는 철화자기의 그림안료로서 주로 사용되었음을 알 수 있다. 석간주가 건축단청에 본격적으로 사용되기 시작한 시기는 18세기말 이후로 확인된다. 1801년에 간행된 『화성성역의궤』를 시작으로 19~20세기의 『궁궐영건도감』과 『산릉도감』에 대부분의 단청안료기록에서 확인할 수 있기 때문이다. 석간주의 국내 산지는 울릉도이다. 『숙종실록』숙종 28년(1702)의 기사에 "삼척 영장 이준명과 왜역倭譯 최재홍이 울릉도에서 돌아와 그곳의 도형과 자단향 · 청죽(靑竹) · 석간주(石間朱) · 어피(魚皮) 등을 바쳤다."는 내용이 기록되었다.[36]

서 사오지를 않아 이 때문에 어쩔 수 없이 석간주(石間朱)로 기화(起畫)하여 화룡준을 구워 만들어 당차(唐差)를 접견할 때 모두 이것으로 썼습니다. 이번 조사를 접대할 때에도 이 화룡준으로 쓰겠습니다. 감히 아룁니다." 하니, 알았다고 전교하였다.

35) 『영조실록』영조 30年(1754) 7월 17일기사

敎曰: "磁器之畫, 古用石間朱, 今聞以回靑畫之云. 此亦侈風, 此後則畫龍樽外, 一切嚴禁."

36) 『숙종실록』숙종 28년 임오(1702, 강희 41) 5월 28일 기사

삼척 영장(三陟營將) 이준명(李浚明)과 왜역(倭譯) 최재홍(崔再弘)이 울릉도(鬱陵島)에서 돌아와 그곳의 도형(圖形)과 자단향(紫檀香) · 청죽(靑竹)

● 황단(黃丹)

납과 석유황을 끓여 가공한 주황색 안료이다. 국내산은 '상황단常黃丹', 중국산은 '당황단唐黃丹'이라고 불렀다.[37] 원래 황단은 약재로 사용되었다. 그러나 건축단청과 가칠의 안료로서도 사용되었음이 각종 의궤에서 확인된다. 『경국대전』에는 경공장京工匠으로 제용감濟用監에 황단장黃丹庄 2인을 두었다는 기록이 확인된다.[38] 또한 『세종실록』세종 6년 기사에 "황단黃丹에 수용되는 연철鉛鐵 2백 50근을 연鉛 산출지인 황해도 서흥 지방관에게 매년 채취하여 정식으로 상납하게 하고,"[39]라는 기사가 있다. 국내

석간주(石間朱) · 어피(魚皮) 등의 물건을 바쳤다. 울릉도는 2년을 걸러 변장(邊將)을 보내어 번갈아가며 찾아 구하는 것이 이미 정식(定式)으로 되어 있었는데, 올해에는 삼척(三陟)이 그 차례에 해당되기 때문에 이준명이 울진(蔚珍) 죽변진(竹邊津)에서 배를 타고 이틀 낮밤만에 돌아왔는데, 제주(濟州)보다 갑절이나 멀다고 한다.

37) 『만기요람(萬機要覽)』재용편3 호조 공물(戶曹貢物)
이 책은 재용편(財用篇) 6권과 군정편(軍政篇) 5권으로 되어 있으며, 재용편에는 국가 재정 · 경제의 제도와 실정 및 그 운용에 대하여 서술했다.

38) 『경국대전』권6 공전(工典) 공장(工匠) 경공장편

39) 『세종실록』세종 6년 갑진(1424, 영락 22) 1월 4일 (신사)
호조에서 제용감(濟用監)의 통첩에 의거하여 계하기를, "조분(造粉)할 것과 황단(黃丹)에 수용(需用)되는 연철(鉛鐵) 2백 50근을 연(鉛) 산출지인 황해도 서흥(瑞興) 지방관에게 매년 채취하여 정식으로 상납하게 하고, 그 관(官)에서 군기감(軍器監)에 바치던 정철(正鐵) 5백 84근은 그 도내의 각 관(官)에 옮겨 배정하게 하소서." 하니, 그대로 따랐다. 戶曹據濟用監牒啓: "造粉及黃丹所需鉛鐵二百五十斤, 請令産鉛黃海道瑞興官, 每年採取,

에서 납이 산출되었고, 안료와 약재로서 황단의 수요가 많았음을 알 수 있다. 『화성성역의궤』에 기록된 황단의 소요량은 60근 5전이며, 근당 8전으로 비교적 싼 값이었다.

명 말기에 송응성이 기록한 『천공개물』에는 황단의 제조법이 상세히 소개되고 있다. 납 1근, 흙 모양의 유황 10냥, 초석硝石 1냥을 섞는다. 납이 녹아서 액체가 되면, 소량의 식초를 떨어뜨린다. 끓으면 유황 한 덩이를 투입하고, 얼마쯤 지나 다시 약간의 초석을 넣는다. 끓기를 멈추면 다시 식초를 떨어뜨리고, 차례로 유황과 초석을 넣기를 계속 반복하여, 노 안의 재료가 모두 가루가 되면 황단이 만들어진 것이다. 만약 호분을 만들 때 남은 납으로 황단을 만들려면, 단지 초석과 반석礬石만 넣으면 되고, 식초는 넣지 않는다.[40]

편연지(片臙脂)

연지는 약 3천년 전 중국 은나라 때부터 화장품으로 사용된 안료이다. 우리나라에서도 고구려 수산리고분의 벽화에 그려진 여인의 볼과 입술에 연지화장의 모습이 묘사되었다. 문헌사적으로 연지는 편연지 외에 분말연지와 솜에 연지물감을 적셔 건조시

依式上納. 其官所貢軍器監上納正鐵五百八十四斤, 移定本道各官." 從之.

40) 송응성 지음, 최병규 역, 『천공개물』, 범우, 469쪽.

킨 면연지緜臙脂 등이 파악된다.[41] 『세종실록』세종 11년 기사에 중국의 사신이 중궁전에 면연지를 바쳤다는 내용이 있다.[42] 화장용 연지가 중국에서 유입된 것임을 알 수 있는 기록이다. 그러한 연지를 채화용으로 물감으로 납작하게 만든 것이 곧 편연지이다.

편연지는 1748년에 편찬된 『진전중수도감의궤』의 단청안료 기사에서 처음으로 확인된다.[43] 그 후 20세기 초반까지 모든 『영

41) 『광해군일기』광해군 10년 무오(1618, 만력 46) 4월 28일(정사) 최종기사 "화원(畫員) 이득의(李得義)가 주홍(朱紅) 6근(斤) 11냥(兩), 하엽(荷葉) 10근, 대록(大綠) 5근, 연지(臙脂) 8냥(兩), 석자황(石雌黃) 11냥을 바치겠다고 하고, 역관(譯官) 박인후(朴仁厚)는 이청(二靑) 4냥 5전(錢), 삼청(三靑) 2냥, 주홍 9근, 하엽 10근을 바치겠다고 하고, 역관 김사일(金士一)은 주홍 3근, 하엽 20근을 바치겠다고 합니다. 현재 여러 전당(殿堂)을 한꺼번에 색칠해야 하는데 값이 비싼 당채(唐彩)는 계속 대기 어려운 걱정이 있을 듯 하니 부득불 바치는 대로 받아서 써야 하겠습니다.…… 이상의 기록에서 연지 8냥은 분말 상태의 안료를 측정하는 단위이므로 연지가 분말 상태로서 단청안료로서 사용되었다는 것을 알 수 있다.

42) 『세종실록』세종 11년 기유(1429, 선덕 4) 1월 27일(갑술)
……중궁(中宮)에게 단자(段子)·나사(羅紗)·대초(大綃) 각 1필과 면연지(緜臙脂) 5백 개, 분궤(粉樻) 2개, 바늘 5백 개, 상아초병삼도자(象牙鞘柄三刀子)를 바치므로, 답례로 베 10필, 모시 5필을 주고,…… 進中宮段子·羅紗·大綃各一匹, 緜臙脂五百,粉櫃二, 針五百, 象牙鞘柄三刀子, 回贈麻布十匹, 苧布五匹.……

43) 『진전중수도감의궤』1748년
實入……石澗朱二千二百十六斤二兩 磊碌二千四百八斤二兩 朱紅三百四十四斤一兩一錢 洋碌四百七十斤十五兩 石紫黃七十六斤四兩五錢 漳丹二百三十七斤四兩 洋靑四十五斤十二兩八錢 荷葉八十八斤五兩 眞

건도감』의 단청재료에 빠짐없이 기록되었다. 따라서 편연지가 단청에 사용된 것은 18세기 중반 이후로 추정된다. 조선후기 이덕무가 편찬한 『청장관전서』에서 연지의 사용방법이 기록되었다. "연지를 물에 넣어 잠깐 동안 담갔다가 두 개의 붓대로 마치 염색할 때 베를 쥐어짜듯 진한 즙을 짜내어서 푹 말려 둔 것인데, 미지근한 물에 개어서 사용한다"는 내용이다.[44] 또한 같은 책의 내용 가운데 "육홍색肉紅色은 분粉을 주료主料로 연지를 넣어 조제한다"[45] 라는 대목이 있다. 이것은 연지가 단청 색채 가운데 육색肉色을 조채하는 데 사용되었음을 알 수 있는 기록이다.

『천공개물』에는 연지의 재료로서 자광紫鑛 · 홍화즙 · 영산홍 등을 소개하고 있다.[46] 자광은 동남아시아에 분포하는 연지충臙脂蟲이 분비하는 적자색 물질로서 수지성분이 함유되어 있다. 바로 이것이 조선시대에 사용된 편연지의 주원료로 추정된다. 중남

粉百二十三斤 兩八錢二靑五兩同黃十九斤一兩 片臙脂五百七十一片 唐朱紅六兩 貼金二十五束……

44) 『청장관전서』청장관전서 제60권 앙엽기7(盎葉記七)
화가(畫家)에게 소용되는 그림물감
……調脂. 須用福建胭脂以少許. 滾水畧浸. 將兩筆管. 如染坊絞布法. 絞出濃汁. 溫水頓乾用之……

45) 『청장관전서』청장관전서 제60권 앙엽기7(盎葉記七)
畫家 顔色
…… 玉(肉)紅用粉爲主. 入胭脂合……

46) 최병규 역, 『천공개물』, 범우, 2009, 155쪽

미에서는 코치닐(Cochineal) 선인장을 먹고 사는 암컷 연지벌레에서 밝고 붉은 천연유기염료를 추출해서 사용했다.

이 밖에도 홍화즙을 이용하여 만든 잇꽃연지와 주사를 이용하여 만든 주사연지가 있다. 국내 자연환경에는 연지충이 살지 않는 반면 홍화는 조선시대에 국내의 다양한 산지가 확인된다. 따라서 홍화염료를 농축하여 만든 편연지를 채화에 사용한 것으로 사료된다.

● 장단(障丹/漳丹)

장단은 조선시대 말기에 사용되기 시작한 주황색 안료이다. 산화납을 주성분으로 하는 무기화합 안료로서 납이 주성분이기 때문에 '연단鉛丹' 또는 '광명단光明丹'이라고도 한다. 장단은 납을 가공하여 만들기 때문에 황단과 성분은 유사하지만 빛깔은 좀 더 붉은 안료로 사료된다. 장단은 은폐력이 강하고 방청에 뛰어

난 효과를 가지고 있기 때문에 주로 녹막이 도료로서 사용되었다. 특히 그 특성으로 '가리다'는 뜻의 '障丹'이라는 이름이 붙여진 것임을 알 수 있다. 장단의 제조법과 산지 및 유입시기에 대해서는 불분명하다. 1846년에 간행된 『문조수릉산릉도감의궤』에 단청안료로 사용된 장단의 최초기록이 확인된다.[47] 19세기 말 이후에는 양록 · 양청과 더불어 각종 그림과 단청의 안료로서 본격적으로 사용되기 시작했다. 따라서 조선 말기부터 국내에 유입되기 시작한 인공합성안료의 일종으로 추정된다.

---

47) 『[文祖]綏陵山陵都監儀軌』 憲宗12年(1846)
丙午閏五月十四日 碑閣丹靑三靑一兩漳丹一斤入用是如乎捧甘濟用監何

3. 녹색 계열

조선시대 영건단청에 주로 사용된 녹색계열 안료들은 뇌록 하엽 · 당하엽 · 향하엽 · 석록 · 삼록 · 대록 · 양록 등이다. 안료별로 그 특성을 분석하면 다음과 같다.

뇌록(磊綠)

뇌록은 조선시대에 단청에 주로 사용된 회록색 안료이다. 단청안료로서 조선시대 각종 『영건도감의궤』에 기록되지 않은 사례를 찾기가 어려울 정도로 많이 사용된 안료이다. 뇌록은 중국과 일본에는 나지 않는 순수 국내산 안료이다. 조선시대 고문헌에서 그 산지를 확인할 수 있다. 『세종실록지리지』의 "경상도 장기현, 황해도 풍천군"[48] 및 『신증동국여지승람』의 "평안도 가산군"[49]에서 뇌록 산출의 기록을 확인할 수 있다. 그 가운데 경상도

---

48) 『세종실록지리지』세종 지리지/경상도/경주부/장기현
토산(土産)은 뇌록(磊綠)과 【현 북쪽 천을이산(淺乙伊山)에서 난다.】 방어(魴魚)이며,
土産, 磊綠, 【産縣北淺乙伊山.】 魴魚.
『세종실록지리지』세종 지리지/해도/ 천군
뇌록(磊綠)이 군의 북쪽 12리 용산리(龍山里)에서 난다. 磊綠産郡北十二里龍山里.

49) 『신증동국여지승람』 제52권 평안도(平安道) 가산군(嘉山郡)
【토산】 사(絲) 삼[麻] 옻[漆] 지치[紫草] 숭어[秀魚] 뇌록(磊綠) 수유(酥油)

장기현 뇌성산에서 산출된 뇌록이 가장 많이 사용되었다. 최근 뇌록에 대한 몇 건의 연구논문이 발표되었다. 그 내용에 따르면 경북 포항시 장기면 뇌성산에서 출토되는 뇌록은 제4기 현무암질 화산쇄설암 내에 맥상 또는 공극충진상으로 산출되며, 주 구성광물은 셀라도나이트celadonite로 소량의 녹니석/스멕타이트 혼합층광물과 모데나이트 및 단백석이 함유되어 있다.[50] 단청에서 뇌록은 바탕칠감으로 사용되기 때문에 소요량이 가장 많다. 화성축성 건축단청에서도 뇌록은 총 2,189근 2냥 9전으로 가장 많은 양이 소요되었다. 그 중 780근은 근당 1전 7푼 6리의 가격으로 장기에서 사왔고, 1,409근 1냥 9전은 근당 4전의 가격으로 한양에서 사온 것으로 기록되었다.[51]

게[蟹] 새우[鰕]

50) 도진영, 이상진, 김수진, 윤윤경, 안병찬, 「전통 녹색 석채로 사용된 "뇌록"의 특성 연구」『한국광물학회지 제21권 제3호』, 2008년 9월, 271~281쪽

51) 경기문화재단(편), 『화성성역의궤 건축용어집』, 2007년, 512쪽.

하엽(荷葉)

하엽은 연잎 빛깔이 나는 안료로, '하엽록荷葉綠'을 말한다. '하엽荷葉'이란 그 빛깔이 마치 크게 자란 연잎같다 하여 붙여진 이름이다. 조선시대 건축단청에 주로 사용되었으며, 왕실의 가례 시 각종 기물이나, 경모궁악기조성청에서 각종 악기의 제작 시에도 가칠용으로 사용되었다. 하엽은 중국산 당하엽唐荷葉과 국내산 향하엽鄕荷葉으로 구분된다. 『세종실록』세종 13년 기사 가운데 "해주海州에서 나는 하엽록荷葉綠을 채취하여 올리니, 도화원에 명하여 이를 시험한 바 쓸 만했다"라는 기록이 있다.[52] 『경국대전』에는 경공장京工匠으로 상의원尙衣院과 제용감濟用監에 하엽록장荷葉綠匠 각 2인을 두었다는 기록이 있다.[53] 이것으로 하엽록의 국내산출과 조제능력을 확인할 수 있다. 조선시대 영건단청에 사용된 하엽은 주로 당하엽이 많이 사용되었다. 그러나 『저승전의궤』(1648년)[54] 및 『영영전수개도감의궤』(1667년)[55]등의 영건

---

52) 『세종실록』세종 13년 신해(1431, 선덕 6) 3월 6일(경오) 최종기사
前司正崔義, 採取遂安所産深中靑,海州所産荷葉綠以進, 命圖畫院試之, 惟荷葉綠可用.……

53) 『경국대전』권6 공전(工典) 공장(工匠) 경공장편

54) 『서승전의궤』는 1647年(仁祖25)부터 1648年에 걸쳐 창덕궁 내 동궁처소인 저승전(儲承殿)을 수리할 때의 전말을 기록한 의궤이다.

55) 『영녕전수개도감의궤』는 1667年(顯宗8)에 종묘 내의 별묘인 영녕전(永寧殿)을 수개(修改)할 때의 전말을 기록한 의궤이다.

의궤에서는 단청안료로서 당하엽과 향하엽이 동시에 사용된 내용도 확인된다. 화성의 건축단청에 사용된 하엽은 총 59근 14냥 8전이었으며, 근당 2냥 7전으로 비싼 가격이었다.

당하엽(唐荷葉)

당하엽은 중국에서 들여온 연잎 빛깔의 안료이다. 조선시대 각종 『영건도감의궤』에 기록된 단청안료 중에는 국내산 향하엽보다 당하엽의 사용이 훨씬 많다. 『문종실록』문종 1년(1451)의 기사에 "황금과 하엽록荷葉綠은 불상조성과 진관사津寬寺 단청에 모두 소비하여 남은 것이 부족하고, 이것들은 본국에서 나는 것이 아니니, 만약 쓸 곳이 있으면 장차 어떻게 하겠습니까?"라는 기사가 있다.[56] 또한 『광해군일기』광해군 10년(1618)의 기사에서

56) 『문종실록』문종 1년 신미(1451) 2월16일

창경궁 단청 시에 남은 채색을 살피고, 하엽 등의 채색이 부족하니, 천추사행차(명나라에 파견한 정례사행) 때에 사오도록 한 내용이 있다.[57] 이와 같은 기사는 조선시대 영건단청에 중국산 당하엽이 주로 사용되었음을 알 수 있는 기록이다.

향하엽(鄕荷葉)

향하엽은 연잎 빛깔의 안료인 국내산 하엽록을 가리키는 말이다. 하엽의 국내산지는 황해도 해주지역으로 확인된다. 『세종실록지리지』 황해도 해주목 기사에 "하엽록荷葉綠이 주의 동쪽 20리 청태암에서 난다."고 기록했다.[58] 『신증동국여지승람』제43

"황금(黃金)과 하엽록(荷葉綠)은 불상을 그리고 진관사(津寬寺)를 단청하는 데에 모두 소비하고 남은 것이 얼마 없습니다. 이 물건들은 본국에서 나는 것이 아니니, 만약 쓸 곳이 있으면 장차 어떻게 하겠습니까?"左副承旨李崇之啓: "黃金, 荷葉綠, 盡費於畫佛及津寬寺丹雘, 所餘無幾. 此等物, 非本國所産, 倘有所用處, 則將如之何?"

57) 『광해군일기』광해군 10년(1618) 4월 23일
창경궁(昌慶宮)에서 쓰다 남은 채색은 어디에다 썼는지 자세히 살펴 아뢰라. 그리고 이청(二靑) · 삼청(三靑) · 대청(大靑) · 하엽(荷葉) · 대록(大綠) 등 채색도 부족할 듯하니, 천추사(千秋使) 행차 때 이를 아울러 참작해서 가외로 더 무역해오도록 하라. "昌慶宮用餘彩色, 用於何處乎? 詳察以啓. 二靑,三靑, 大靑, 荷葉, 大綠等物, 似爲不足, 千秋使之行, 竝參酌加數貿來.

58) 『세종실록지리지』 황해도 해주목
"하엽록(荷葉綠)이 주의 동쪽 20리 청태암(靑苔巖)에서 난다." 荷葉綠産州東二十里靑苔巖.

권 황해도편에도 동일한 내용이 실렸다.[59] 하엽을 만든 장인과 그 품질을 알 수 있는 사료도 확인된다. 『태종실록』태종 3년(1403)의 "최인계崔仁桂가 하엽록을 처음 만들어 바쳤는데, 중국에서 나는 것과 다름이 없었다."[60] 『세종실록』세종 13년(1431)의 "전 사정司正 최의崔義가 수안遂安에서 나는 심중청深中青과 해주에서 나는 하엽록荷葉綠을 채취하여 올리니, 도화원에 명하여 이를 시험한 바 오직 하엽록이 쓸 만했다."[61] 이상의 기사내용에서 국내산 하엽록이 중국산에 비견되는 품질이었음을 알 수 있다.

석록(石綠/石碌)

석록은 채도가 선명한 광물성 천연안료이다. 사료에서 '녹'자의 한자표기는 '綠'과 '碌'으로 표시되었는데 후자가 훨씬 많다.

---

59) 『신증동국여지승람』 제43권 〉 황해도
해주목(海州牧) "【토산】……하엽록(荷葉綠) 청태암(青苔巖)에서 난다."……

60) 『태종실록』 태종 3년 계미(1403) 10월 26일(경오)
최인계(崔仁桂)가 하엽록(荷葉綠)을 바치었는데, 중국(中國)에서 나는 것과 다름이 없었다. 인계가 처음 만든 것이었다. 崔仁桂進荷葉綠, 與中國所產無異. 仁桂始造也.

61) 『세종실록』 세종 13년 신해(1431) 3월 6일(경오)
전 사정(司正) 최의(崔義)가 수안(遂安)에서 나는 심중청(深中青)과 해주(海州)에서 나는 하엽록(荷葉綠)을 채취하여 올리니, 도화원에 명하여 이를 시험한 바 오직 하엽록이 쓸만하였다. 前司正崔義, 採取遂安所產深中青, 海州所產荷葉綠以進, 命圖畫院試之, 惟荷葉綠可用.

석록은 공작석孔雀石, malachite을 미세하게 갈아서 수비하여 만든다. 북송시대의 『영조법식』에는 석록을 미세하게 갈고 수비하여 4단계 명도의 색을 만든 기사가 전한다.[62] 조선시대의 『청장관전서』에 "석록은 청개구리의 등처럼 생긴 색깔이 가장 좋은데, 수비水飛하여 두록頭綠 · 이록二綠 · 삼록三綠의 세 종류로 만들었다"는 내용이 확인된다.[63] 이것은 비록 석록의 국내산지는 확인되지 않는다 해도 공작석을 들여와서 국내에서 가공했을 가능성을 시사해준다. 『화성성역의궤』에 기록된 안료 가운데 석록은 7냥 2전으로 매우 소량이었으며, 가격은 1냥당 5전이었다. 조선시대의 일반적인 도량형을 기준으로 환산하면 1근(16냥)당 8냥에 해당되는 비싼 안료였다.

삼록(三碌)

녹색 안료 가운데 조선시대 단청에 가장 많이 사용된 것이 곧

---

62) 『營造法式』「彩畫作」第1節 總制度
取石色之法, 앞의 주

63) 『청장관전서』청장관전서 제60권 앙엽기7(盎葉記七)
화가(畫家)에게 소용되는 그림물감
…… 석록(石綠 : 공작석(孔雀石)의 이명)은 청개구리의 등처럼 생긴 색깔이 가장 좋은데, 수비(水飛)하여 두록(頭綠) · 이록(二綠) · 삼록(三綠)의 세 종류로 만들고 용도는 석청(石靑)과 같다.…… 石綠. 用蝦蟆背者佳.亦水飛. 作三種頭綠, 二綠, 三綠. 亦如用石靑法.

삼록이다. 삼록의 한자는 '三碌'과 '三綠'으로 병기되었다. 삼록은 공작석을 원료로 만든다. '공작석'이란 구리광석이 돌로 산화되어 형성된 천연광석으로 짙고 선명한 녹색 바탕에 뚜렷한 줄무늬가 아름다운 공작 날개를 연상시켜 붙여진 이름이다. 송나라 때 『영조법식』에는 석록石綠을 미세하게 갈아서 수비하여 녹화綠華 · 삼록三綠 · 이록二綠 · 대록大綠 등 네 가지 색을 조제한 기록이 전한다.[64] 녹화의 입자가 가장 미세하고 가장 밝으며, 대청은 입자가 굵고 가장 어두운 색이다. 『승정원일기』인조 4년(1626)의 기사에는 명나라에서 삼청을 무역해온 유래가 확인된다.[65] 『화성성역의궤』에 기록된 삼록은 308근이 사용되었고, 가격은 근당 2

64) 『營造法式』「彩畫作」第1節 總制度
取石色之法
生靑 層靑同 石綠 朱砂 並各先擣 令略細(若浮淘靑 但研令細) 用湯淘出 向上土石惡水不用 收取近下水內淡色 入別器中 然後 研令極細 以湯淘 澄分色輕重 各入別器中 先取水內色淡者 謂之靑華(石綠者 謂之綠華 朱砂者謂之朱華) 次色稍深者 謂之三靑(石綠 謂之三綠, 朱砂 謂之三朱) 又色漸深者謂之二靑(石綠 謂之二綠, 朱砂 謂之二朱) 其下色最重者 謂之大靑(石綠 謂之大綠, 朱砂 謂之深朱) 澄定傾去淸水 候乾 收之 如用時 量度 入膠水 用之

65) 『승정원일기』인조 4년 병인(1626) 윤6월 6일
"이번 동지사(冬至使)와 성절사(聖節使) 두 행차에 연례적으로 사오는 상의원(尙衣院)의 각종 당물(唐物) 중에 황금(黃金), 수은(水銀), 주홍(朱紅), 삼청(三靑), 이청(二靑), 동황(同黃), 심중청(深重靑), 홍상모(紅象毛), 비상(砒礵), 하엽(荷葉), 삼록(三碌) 및 내의원의 약재로 사오는 용뇌(龍腦), 수은 등의 물건이 모두 본조(本曹)에 비축된 수량이 있습니다. 그러므로 사오지 않겠습니다. 감히 아룁니다." 하니, 알았다고 전교하였다.

낭이었다. 장기에서 사온 뇌록보다 10배 이상 비싼 값이다.

대록(大綠/大碌)

대록은 석록石綠을 미세하게 분쇄하고 수비하여 만든 가장 짙은 녹색 안료이다. '녹'의 한자표기는 '綠'과 '碌'으로 쓰였는데 후자의 사례가 더 많다. 북송시대의 『영조법식』에는 석록을 미세하게 갈아 수비하여 녹화綠華 · 삼록三綠 · 이록二綠 · 대록大綠 등 4단계 명도의 색을 제조했다.[66] 대록은 중국에서 수입하였으며, 국내 산출에 대한 사료는 전무하다. 『광해군일기』광해군 10년(1618) 4월 23일 기사에 대록大綠 등 부족한 안료를 중국에서 무역해왔다는 내용이 전한다.[67] 대록은 단청보다는 병풍 그림 등 주로 기화起畵의 안료로 사용되었다. 그러나 『광해군일기』광해군 10년(1618) 4월 28일 기사에 "화원 이득의李得義와 역관 박인후朴仁厚가 대록 5근을 비롯한 각종 안료를 바치므로, 궁궐의 여러 전당殿堂을 단청하는 데 비싼 당채(중국산 안료)는 계속 대기 어려우니 부득불 받아쓰겠다"는 내용이 전한다.[68] 이것은 대록이

---

66) 『營造法式』「彩畵作」第1節 總制度
取石色之法, 앞의 주

67) 『광해군일기』광해군 10년(1618) 4월 23일, 앞의 주

68) 『광해군일기』광해군 10년(1618) 4월 28일,
영건 도감이 아뢰기를, "화원(畵員) 이득의(李得義)가 주홍(朱紅) 6근(斤) 11냥(兩), 하엽(荷葉) 10근, 대록(大綠) 5근, 연지(臙脂) 8냥(兩), 석자황(石

단청에도 사용되었음을 알 수 있는 기록이다.

양록(洋碌/洋綠)

양록은 19세기 말에 국내에 들어온 서양산 화학성분의 녹색 안료이다. '양록洋綠'이란 서양에서 들어왔기 때문에 붙여진 이름이다. 양록의 성분은 Cu(C2H3O2)2 · 3Cu(ASO2)3로서 탄산소다의 수용액에 아비산을 첨가하여 제조하는 무기화합물의 일종이다. 양록은 석록보다 빛깔이 선명하고 착색력과 은폐력도 좋기 때문에 유입 이후부터 단청의 주요 안료로서 사용되기 시작했다. 화학안료인

雌黃) 11냥을 바치겠다고 하고, 역관(譯官) 박인후(朴仁厚)는 이청(二靑) 4냥 5전(錢), 삼청(三靑) 2냥, 주홍 9근, 하엽 10근을 바치겠다고 하고, 역관 김사일(金士一)은 주홍 3근, 하엽 20근을 바치겠다고 합니다. 현재 여러 전당(殿堂)을 한꺼번에 색칠해야 하는데 값이 비싼 당채(唐彩)는 계속 대기 어려운 걱정이 있을 듯 하니 부득불 바치는 대로 받아서 써야 하겠습니다. 그런데 다만 각 사람들이 모두 임예룡(林禮龍)의 예에 의거하여 경사(京師)에 가고 싶어하는데 도감에서 감히 마음대로 하지 못하겠기에 감히 아룁니다." 하니, 전교하기를, "아뢴 대로 하라. 채색은 십분 정밀히 살펴 받아 쓰도록 하고 품질이 떨어져 쓸 수 없는 채색은 일체 받아서 쓰지 말도록 각별히 살펴 행하게 하라." 하였다. 營建都監啓曰: "畫員李得義, 朱紅六斤十一兩, 荷葉十斤, 大綠五斤, 臙脂八兩, 石雌黃十一兩, 願納, 譯官朴仁厚, 二靑四兩五錢, 三靑二兩, 朱紅九斤, 荷葉十斤, 願納, 譯官金士一, 朱紅三斤, 荷葉二十斤, 願納. 目今諸殿堂一時用彩, 價重唐彩, 恐有難繼之患, 不得不依願捧用矣. 但各人等, 皆願依林禮龍例, 赴京, 而自都監不敢擅便之意, 敢啓." 傳曰: "依啓. 彩色十分精察捧用, 而品劣不可用之彩, 一切勿爲捧用事, 各別察爲."

양록이 우리나라에 들어온 시기는 대략 19세기 후반으로 추정된다. 1890년에 간행된 『신정왕후국장도감의궤』의 기사에 단청안료로서 양록이 처음 기록되었다.[69] 그 후 20세기 전반까지 궁궐과 산릉의 각종 영건단청에 사용되었음이 사료를 통하여 확인된다.

---

69) 『신정왕후국장도감의궤』高宗27, 光緒16(1890년)
月乃四部所入 草席十六張 白休紙六斤 壯紙十四張 洋靑洋碌各五兩 松煙一斤 眞末三升 白紙二卷 石紫黃…

4. 청색 계열

조선시대 영건단청에 주로 사용된 청색 계열은 석청 · 청화 삼청 · 이청 · 대청 · 심중청 · 양청 등이다. 각 안료별 특성은 다음과 같다.

● 석청(石靑)

석청은 청색계열 안료가운데 가장 기본이 되는 천연 광물성 안료로서 원료는 구리광석의 일종인 남동광藍銅鑛, azurite이다. 주성분은 산화구리의 감청색 결정으로 다른 구리광석에 혼합되어 분포되어 있다. 석청은 단청안료로는 거의 사용되지 않았으며, 주로 일반 그림물감으로 사용되었다. 북송시대에 이명중이 편찬한 『영조법식』과 조선후기 이덕무李德懋가 편집한 『청장관전서』에는 석청을 만드는 방법이 전해진다.

● 청화(靑花)

청화는 조선시대 단청과 그림 및 각종 기물의 가칠에 사용된 녹색계열 채색으로서 각종 의궤에 많이 기록된 안료이다. 중국에서 들여온 것으로 '당청화唐靑華'라고도 불렀다.[70] 『영조법식』의

70) 『승정원일기』고종 1년 갑자(1864) 5월 1일(경자) 기사

단청안료 가운데 "생청生靑을 세분하고 수비하여 가라앉은 가장 위의 것을 청화, 위로부터 두 번째 것을 삼청, 세 번째 것을 이청, 맨 밑의 것을 대청"이라 했다는 기록이 있다. 그런데 『남별전중건청의궤』등의 내용에서 네 가지 안료 모두가 단청에 사용된 것이 확인된다.[71] 이를 근거로 한다면 청화는 가장 밝은 명도의 청색임을 알 수 있다. 『화성성역의궤』에 기록된 건축단청에 소요된 청화는 3근 11냥 5전이었으며, 값은 근당 1냥 5푼으로 삼청보다는 싸지만 비교적 비싼 안료였다.[72]

● 삼청(三靑)

삼청은 조선시대 건축단청 및 일반 그림과 기물 등의 채료로서 가장 많이 사용된 청색계열 안료이다. 조선시대 삼청은 천연 구리광석의 일종인 남동광을 미세하게 갈아 수비하여 조제했다. 송나라 『영조법식』에는 생청生靑을 미세하게 갈고 수비법으로 청

……화피전(樺皮廛) 상인들이 말한 '중국에서 사오는 약재(藥材)에 대해서는 규정대로 세금을 바치게 하고, 당청화(唐靑花) 역시 무인년에 정한 규례대로 금단시켜 달라.'고 한 일에 대해서입니다. 이에 대해서는 연전에 이미 결정을 내려 주었으니, 내버려 두어야 합니다.……

71) 『남별전중건청의궤』
1677년(肅宗 3)에 南別殿(永禧殿의 初名)을 重建한 기록으로 청화(靑花), 삼청(三靑), 이청(二靑), 대청(大靑) 등 석청으로 조제한 네 가지 안료가 단청에 모두 사용되었다.

72) 경기문화재단(편), 『화성성역의궤 건축용어집』, 2007년, 512쪽.

화靑花 · 삼청三靑 · 이청二靑 · 대청大靑 등 네 가지 명도의 청색을 만들었다는 기록이 전한다.[73] 조선 후기 이덕무李德懋가 편집한 『청장관전서』에도 삼청의 조제법이 다음과 같이 기록되었다. "석청의 조제는 사기그릇에 담고 맑은 물을 조금 부어 휘저은 다음 채취한다. 맨 위 가루는 '유자油子'란 것으로 의복에 들이는 물감으로 쓰이고, 중간에 자리잡은 것은 가장 좋은 석청으로 청록색 산수를 그리는 물감으로 쓰고, 맨 밑에 자리잡은 것은 협엽夾葉을 상감象嵌하거나 견첩絹帖/명주화첩의 후면에 바르는 데 쓰는데, 이것을 두청頭靑 · 이청二靑 · 삼청三靑이라 한다."[74]

조선시대 사료를 통하여 삼청은 대부분이 값비싼 중국산을

73) 『營造法式』「彩畵作」第1節 總制度
取石色之法, 앞의 주

74) 『청장관전서』청장관전서 제60권 앙엽기7(盎葉記七)
畫家顔色
石靑只宜用所謂梅花片一種. 以其形似故名. 研就時傾入磁盞. 略加淸水攪勻. 將上面粉者撇起.謂之油子. 用着人衣服. 中間一層. 是好靑. 用畫正面靑綠山水. 着底一層用以嵌點夾葉及襯絹背. 是謂頭靑, 二靑, 三靑.石綠

수입하여 사용한 것으로 확인된다.[75] 화성 축성 시 건축단청에 소요된 삼청은 1근 2냥 5전으로 매우 소량이었으나, 값은 근당 16냥으로 최고 비싼 안료였다.[76] 그러나 삼청의 국내산지에 대한 기록도 있다. 『세종실록』세종 15년(1433) 기사에 "강원도 회양부에서 생산되는 토삼청土三靑을 상시 공납으로 할 것을 정했다."라는 내용이 있다. 또한 세조 10년(1464) 기사에 "경상도 관찰사가 울산군에서 나는 심중청深重靑 · 토청土靑 · 삼청三靑을 채취하여 바쳤다"라는 기록도 있다.[77] 이상의 내용에서 조선시대 삼청의

---

75) 『광해군일기』광해군 10년(1618) 4월 23일
"昌慶宮用餘彩色, 用於何處乎? 詳察以啓. 二靑, 三靑, 大靑, 荷葉, 大綠等物, 似爲不足, 千秋使之行, 竝參酌加數貿來.
『승정원일기』인조4년 병인(1626) 윤6월 6일
"이번 동지사(冬至使)와 성절사(聖節使) 두 행차에 연례적으로 사오는 상의원(尙衣院)의 각종 당물(唐物) 중에 황금(黃金), 수은(水銀), 주홍(朱紅), 삼청(三靑), 이청(二靑), 동황(同黃), 심중청(深重靑), 홍상모(紅象毛), 비상(砒礵), 하엽(荷葉), 삼록(三碌) 및 내의원의 약재로 사오는 용뇌(龍腦), 수은 등의 물건이 모두 본조(本曹)에 비축된 수량이 있습니다. 그러므로 사오지 않겠습니다. 감히 아뢰니다." 하니, 알았다고 전교하였다.

76) 경기문화재단(편), 『화성성역의궤 건축용어집』, 2007년, 512쪽.

77) 『세종실록』
세종 15년 계축(1433, 선덕 8) 〉 8월 17일(정유) "江原道淮陽府産土三靑, 定爲常貢"
『세조실록』
세조 10년 갑신(1464,천순 8) 〉 9월 13일(계해) "慶尙道觀察使採進蔚山郡所産深重靑, 土靑, 三靑"

국내 생산을 확인할 수 있다.

이청(二青)

이청은 삼청보다 어두운 명도의 청색이다. 천연 산화구리광석인 석청을 미세하게 갈고 그 가루를 수비하여 만드는 방법이 『청장관전서』의 「화가안색畫家顏色」편에 기록되었다. 이청은 삼청과 더불어 조선시대 전기부터 말기까지 건축단청과 각종 그림에 지속적으로 사용된 안료이다. 이청을 중국에서 들여온 기록이 조선전기 『왕조실록』의 여러 기사에서 확인된다.[78] 그러나 충청도에서 이청의 광석을 캐냈다는 국내산출의 기록도 찾을 수 있다. 『연산군일기』 연산군 10년의 기사 가운데 "천이청석天二靑石을 산출하는 고을로 하여금 3백 덩이를 캐어 바치게 하라."[79]는 내용과 "충청도 감사 안침安琛이 캐어 보낸 천이청天二靑 3백 괴塊를 실은 배가 두모포豆毛浦에 닿았으니, 한성부의 수레로 날라 들이라."[80]는 내용이 있다. 예로부터 충청도는 경상도와 더불어 우리

---

78) 『조선왕조실록』명종 17년 임술(1562, 가정 41)
乙卯/傳于政院曰: "天大靑,天二靑, 天三靑, 大綠等物, 入內."

79) 『조선왕조실록』연산군 10년 갑자(1504, 홍치 17) 5월16일 기사
傳曰: "天二靑石令產出郡縣, 採進三百塊

80) 『조선왕조실록』연산군 10년 갑자(1504, 홍치 17) 7월19일 기사
傳曰: "忠淸道監司安琛採送天二靑大中小并三百塊, 載船到泊於豆毛浦, 其以漢城府車子輸入."

나라 동광銅鑛의 대표적인 산지로 알려지고 있다.

대청(大靑)

대청은 산화구리광석의 일종인 석청을 갈아서 수비하여 만드는 가장 어두운 청색 안료이다. 『영조법식』에는 생청(生靑)을 세분하여 수비법으로 네 가지 명도의 청색을 만들었다는 내용이 기록되었다.[81] 그 가운데 입자가 굵어 가장 밑에 가라앉은 것을 채취한 것이 곧 대청이다. 대청은 주로 그림안료로서 사용되었으나, 건축단청에 사용된 사례는 드물다. 대청은 중국에서 수입되었으며, 이와 유사한 빛깔의 국내산 안료로는 심중청(沈重靑)이 있다.

심중청(深重靑)

심중청은 푸른색 계열 가운데 입자가 굵은 저명도의 안료이다. 1667년의 기록인 『남별전중건청의궤』에 단청안료로 사용된 것이 확인된다. 그러나 심중청은 그 외의 문헌사료에서는 기록이 없는 것으로 보아 단청보다는 주로 그림의 안료로서 사용된 것으로 추정된다. 조선 초기 심중청을 일본에서 들여온 사료가 전한다. 『세종실록』세종 11년(1429) 기사 가운데 일본에서 심중청의

---

81) 『營造法式』「彩畫作」第1節 總制度 取石色之法, 앞의 주

원석을 들여와서 사용했으며, 화원을 일본에 보내 제조법을 조사하게 한 내용이 기록되었다.[82] 또한 세종 11년(1429) 다른 내용 중에 "최원崔源이 일찍이 심중청深重靑을 만드는 방법을 전습傳習하기 위하여 일본日本에 가서 죽었으니……"라는 기사에서 당시 청색 안료로서 심중청의 소요가 많았음을 추정할 수 있다.[83]

한편 심중청의 국내 산출에 대한 문헌사료도 확인된다. 『세종실록』 세종 13년(1431) 기사의 "황해도 수안遂安에서 심중청을 채취했다"[84] 또한 세조 10년(1464) 기사의 "경상도 관찰사가 울산군에서 나는 심중청深重靑 · 토청土靑 · 삼청三靑을 채취하여 바쳤다."[85] 『신증동국여지승람』경상도 울산군 "[토산] …… 심중청이 고을 성 북쪽 문 밖에서 난다".[86] 이상의 내용은 심중청의

82) 『세종실록』 세종 11년 기유(1429, 선덕4) 12월 3일(을해) 최종기사
朴瑞生又具啓, 日本深中靑, 鍍銀, 造紙, 朱紅, 輕粉之法, 皆留之.
세종 11년 기유(1429, 선덕 4) 12월 23일(을미) 최종기사
……蕆又啓: "今來日本深重靑石及水銀石, 請分送各道依樣廣求,……

83) 『세종실록』세종 11년 기유(1429, 선덕 4) 4월 20일(을미) 최종기사
禮曹啓: "崔原曾因傳習造深重靑之術, 往日本物故. 請依回禮使隨從人物故例, 致祭, 賻米豆并六石." 從之.

84) 『세종실록』세종 13년 신해(1431, 선덕 6) 3월 6일(경오) 최종기사
前司正崔義, 採取遂安所産深中靑,海州所産荷葉綠以進, 命圖畫院試之, 惟荷葉綠可用.……

85) 『세조실록』세조 10년 갑신(1464, 천순8) 9월 13일(계해) 최종기사
慶尙道觀察使採進蔚山郡所産深重靑, 土靑, 三靑

86) 『신증동국여지승람』제22권

국내 산출을 확인할 수 있는 내용이다.

양청(洋靑)

양청은 조선 말기에 국내에 유입된 청색 안료이다. 1890년에 간행된 『신정왕후국장도감의궤』에 양록洋碌과 함께 처음 기록된 것으로 보아 양청은 19세기 후반에 들어온 것으로 확인된다. 양청은 화학안료의 일종으로 천연 석청에 비해 빛깔이 선명하고 착색력과 은폐력이 좋다. 따라서 양청은 단청뿐만이 아니라 불화의 채색으로도 많이 사용되었다. 짙푸른 빛깔이 너무 강렬하여 현전하는 구한말 불화작품의 큰 특징으로 각인되고 있다.

경상도 울산군 【토산】……심중청(深中靑) 고을 성 북쪽 문 밖에서 난다.
深重靑 出郡城北門外……

5. 황색 계열

조선시대에 궁궐의 영건단청에 지속적으로 사용된 황색 계열은 석자황 · 석웅황 · 동황 등이다. 안료별로 그 특성을 분석하면 다음과 같다.

석자황(石紫黃)

유황硫黃과 비소砒素의 천연광물성 화합물로 '자황雌黃'이라고도 한다. 곱고 누런 빛깔을 띠는 석자황은 조선시대 영건단청에 석웅황과 더불어 많이 사용되었다. 『본초本草』에 "정精하고 밝은 것이 웅황이다." 하였고, 『의학입문醫學入門』에 "산의 양지에서 나온 것은 웅황이고 산의 음지에서 나온 것은 자황인데, 붉기가 계관鷄冠과 같고 맑아 속까지 들여다보이는 것이 좋다."하였다.[87] 석자황은 국내에서 산출되기도 하였으나 양이 부족하여 중국에서 들여오기도 했다. 『광해군일기』 광해군 10년(1618) 기사에 영건도감에서 황색 기와를 만드는 데 소요되는 석자황의 무역에 관한 내용이 전한다.[88] 『신동국여지승람』에 기록된 석자황의 주요

87) 『산림경제』 제3권, 벽온(辟瘟),
...雄黃雌黃 本草曰. 精明者. 爲雄黃. 入門曰. 産山之陽者. 爲雄. 産山之陰者. 爲雌. 赤如鷄冠. 明澈者佳....

88) 『광해군일기』광해군 10년 무오(1618, 만력 46) 4월 28일(정사) 최종기사

국내산지는 전라도 진산군珍山郡 사음동舍音洞으로 확인된다.[89] 『화성성역의궤』에 기록된 석자황의 소요량은 2근 7냥 6전이며, 가격은 근당 5냥의 고가高價였다.

석웅황(石雄黃)

삼산화비소 성분의 광물성 천연안료로서 '석황石黃'·'웅황雄黃'이라고도 한다. 석자황과 더불어 조선시대 영건단청에 많이 사용된 황색계열 안료이다. 석웅황은 계관석鷄冠石 · 휘안석輝安石 · 석영 등과 함께 광맥을 이루거나, 금 · 은 · 구리의 금속광맥 속에서 산출된다. 빛깔이 곱고 광택이 좋은 것은 장신구로 사용되었으며, 약재로도 널리 쓰였다. 『청전관전서』에 웅황은 최상 품질이 통명계관황通明鷄冠黃이란 것으로 수비하는 법은 주사와 같

營建都監啓曰: "黃瓦取色, 未得眞方, 方切憂悶, 頃日以石雌黃, 添入於藥物, 則其色與平時所造略同. 今當依此造作. 石雌黃非我國所産, 欲貿於市上及畫員, 譯官等處, 皆未多得, 不得已貿易於中朝, 然後可以繼用.

89) 『신증동국여지승람』제33권
전라도 진산군(珍山郡) 【토산】 석자황(石雌黃) 군의 동쪽 사음동(舍音洞)에서 난다……

다고 기록하고 있다.[90] 『조선왕조실록』등의 사료에는 석웅황의 약효에 대한 기사가 상당수 전한다. 그 가운데 명종 3년(1548) 기사에는 "전교하기를, 평안도 삼등三登 등의 고을에 전염병이 크게 성하고 있다. 석웅황石雄黃을 쓰면 전염되지 않는다고 하니, 이 약을 보내도록 하라."는 내용이 있다.[91] 약재로서 석웅황의 효능을 잘 알 수 있는 기록이다. 『만기요람』에 기록된 석웅황의 국내산지는 충청도 해미 서산 평신진 안민곶으로 확인된다. 1656년(효종 7)에 청나라 연경에 다녀온 이민수李民樹가 쓴 『연도기행』에는 청석령靑石嶺이 석웅황을 캐는 곳이라 기록했다.

동황(同黃)

동황은 조선시대 건축단청에 황색 계열 중 가장 많이 사용된 안료이다. 초기부터 말기까지 각종 영건의궤에 가장 많이 기록되고 있다. 조선후기 이학규李學逵가 쓴 『명물고』에 "동황은 수두황과 같으며, 화가가 사용하는 것으로 자황보다 진하다."라는 기록이 있다.[92] 동황의 성분이나 제조법에 대해서는 알 수 없으나, 자

---

90) 『청장관전서』청장관전서 제60권 앙엽기7
…… 雄黃揀上號通明鷄冠黃, 水飛之法, 與硃砂同.……

91) 『명종실록』명종 3년(1548, 가정 27) 6월 27일(경오) 최종기사
庚午/傳曰: "平安道三登等官, 癘疫大熾. 若用石雄黃, 則不相傳染云, 此藥下送可也."

92) 이학규(李學逵), 『명물고(名物考)』, 권5, 석류(石類)편

황보다 진한 색임은 확인할 수 있는 내용이다. 동황의 국내 생산에 대한 기록은 전무하다. 『승정원일기』인조 4년(1626) 기사 가운데 동지사冬至使와 성절사聖節使가 연례적으로 중국에서 들여온 상의원의 각종 당물唐物 중에 동황이 포함되었다.[93] 이것은 동황이 중국에서 수입된 안료임을 알 수 있는 사료이다. 『화성성역의궤』에 기록된 동황의 소요량은 2근 14냥 6전이며, 가격은 근당 5냥의 고가高價였다.

水豆黃 畵家所用 深於雌黃, 同黃 仝.

93) 『승정원일기』인조 4년 병인(1626, 천계 6) 윤6월 6일(병오) 최종기사
"이번 동지사(冬至使)와 성절사(聖節使) 두 행차에 연례적으로 사오는 상의원(尙衣院)의 각종 당물(唐物) 중에 황금(黃金), 수은(水銀), 주홍(朱紅), 삼청(三靑), 이청(二靑), 동황(同黃), 심중(深重), 청홍(靑紅), 상모(象毛), 비상(砒礵), 하엽(荷葉), 삼록(三碌) 및 내의원의 약재로 사오는 용뇌(龍腦), 수은 등의 물건이 모두 본조(本曹)에 비축된 수량이 있습니다. 그러므로 사오지 않겠습니다. 감히 아룁니다."하니, 알았다고 전교하였다.

6. 흑 · 백색 계열

조선시대 궁궐의 건축단청에 주로 사용되었던 백색과 흑색 계열은 진분 · 정분 · 당분 · 진묵 · 당묵 · 송연 등이다. 문헌사료에 기록된 각 항목별 특성을 종합하면 다음과 같다.

진분(眞粉)

진분은 조선시대 영건단청에서 반드시 사용되었던 백색 계열 안료이다. 중국산을 '당분唐粉'이라 하고 국내산은 '향분鄕粉'이라 했다.[94] 현전하는 조선시대 단청유구의 백색에 대한 성분조사 결과 납 성분이 다분히 검출되고 있다. 따라서 진분의 주성분은 염기성탄산연으로 귀결된다.[95] '염기성탄산연鹽基性炭酸鉛'이란 납을 가공하여 얻어지는 흰 결정 물질로서 입자가 고운 백색 분말을 만드는데, 이를 달리 '연분鉛粉' · '연백鉛白'이라고도 한다.

---

94) 『연산군일기』연산군 9년 계해(1503, 홍치 16) 11월 9일(임신) 최종기사
전교하기를, "당분(唐粉) 50근을 대궐로 들이라. 또 향분(鄕粉)을 당분에 의하여 제조해서 들이되 빛이 푸르게 하지 말라." 하였다. 傳曰: "唐粉五十斤入內. 且鄕粉依唐粉造入, 勿使色青.

95) 현전하는 전통 단청유물의 백색 안료에 대한 과학적 성분분석 결과 납(Pb) 성분이 다량 검출되었다. 그런데 조선시대 영건단청에 사용된 백색 안료가 진분이므로 그것이 곧 연분과 동일한 것으로 추정할 수 있는 것이다.

『경국대전』에는 호조 소속의 관청 내자시內資寺에 분장粉匠(분을 만드는 장인) 2인을 두었다는 기록이 확인된다.[96] 예로부터 연분은 약재와 화장품으로 널리 사용되어 쓰임이 많았기 때문이다. 진분은 착색력과 은폐력이 우수하여 도화용으로 적합하다. 18세기의 실학자 이덕무가 저술한 『청장관전서』에는 "지금의 화가들 거의가 연분을 사용한다."라는 내용이 있다.[97] 이것은 당시에 연분이 주로 도화용으로 사용되었음을 알 수 있는 기록이다.

한편 1596년에 명나라 이시진이 저술한 『본초강목』에는 연분의 제조법들이 기록되고 있다. 명나라 말기의 송응성宋應星이 지은 기술서 『천공개물』에도 납을 원료로 하는 호분의 제조법이 상세히 기술되었다. 그 중 한 가지를 소개하자면 "납덩어리를 술항아리 안에 매달고 49일 동안 봉하였다가 열어보면 분이 된다. 희지 않게 변한 것은 볶아서 황단을 만든다."고 하였다.[98] 그런데 명칭을 '호분胡粉'이라 한 것이 또 하나 주목되는 점이다. 오늘날 조개나 굴의 껍질과 같은 패각을 원료로 하여 제조한 백색안료를 호분으로 통칭하고 있다. 그러나 한국의 문헌사료에서 '호분'이라는 전통안료의 명칭은 출전이 전무하다. 오히려 『천공개물』의

---

96) 『경국대전』권6 공전(工典) 공장(工匠) 경공장편

97) 『청장관전서』청장관전서 제60권 앙엽기7
(盎葉記七) 畫家 顏色 …… 今畫家槩用鉛粉. ……

98) 『한국민족문화대백과』 과학, 과학기술, 연분

기록과 같이 납을 이용하여 제조한 백색을 호분이라 칭했던 것이다. 『천정관전서』에는 조개 껍질을 불에 태워 가루로 만들어서 수비한 것을 '합분蛤粉'이라 불렀으며, 안료로도 사용했다. 따라서 현재 호분이라는 명칭은 왜곡된 것이며, 우리 고유의 용어인 '합분蛤粉'이라함이 타당하다.

정분(丁粉)

진분과 함께 조선시대 영건단청에 주로 사용된 백색계열 채료로서 주성분은 탄산석회이다. 진분은 도상의 분선을 그릴 때 주로 사용된 반면 정분은 주로 바탕칠이나 가칠용으로 사용되었다. 따라서 단청에 사용되는 정분의 소요량이 뇌록과 주토와 더불어 가장 많았다. 『화성성역의궤』에 기록된 진분은 81근 5냥 8전이며(근당 1냥 6전), 정분은 1487근 5냥(근당 2전 5푼)이다. 진분보다 정분의 소요량이 훨씬 많았고, 값도 싼 재료였다.[99] 사료에 기록된 정분의 국내산지는 경상도 장기현의 동을배곶出冬乙背, 황해도 장련현의 대곶碓串과 확이곶碓伊串, 황해도 은율 등이다.[100] 모두 해안가에서 산출된 것으로 보아 오랜 기간 풍화와 숙

---

99) 경기문화재단(편), 『화성성역의궤 건축용어집』, 2007년, 512쪽.

100) 『신증동국여지승람』

제23권 경상도 장기현【토산】……정분 동을배곶에서 난다. ……丁粉 出冬乙背串.

성을 거쳐 단백질이 제거된 패각류로 제조한 합분(蛤粉)과 유사한 성분으로 사료된다.

당분(唐粉)

당분은 중국에서 들여온 백색 안료이다. 국내산은 '향분鄕粉'이라고 칭했다. 당분은 궁궐과 산릉의 영건단청뿐만 아니라 영정모사나 기화起畵 등 각종 그림에 주로 사용되었다. 그림에 사용되는 백색 안료는 흰 빛이 선명하고, 붓질이 원활해야 하며, 착색력과 은폐력이 좋아야 한다. 따라서 당분의 성분은 명확히 알 수 없으나, 산화납을 주성분으로 하는 국내산 진분, 즉 연백과 동일한 것으로 사료된다.

진묵(眞墨)

진묵은 식물성 기름을 태워 얻은 그을음과 아교를 섞어 만든

제42권 황해도 장련현 【토산】……정분 방아곶에서 생산된다.……丁粉出碓串.
『세종지리지』황해도 / 풍천군 / 장련현
……정분(丁粉)이 현의 서쪽 확이곶(確伊串)에서 나고,……丁粉産縣西確伊串,
『승정원일기』 인조 12년 갑술(1634, 숭정 7) 3월 26일(임자) 최종기사
……정분(丁粉)은 우리나라에서 은율(殷栗)에서만 생산되므로 부득이 분정……

다. 우리말로 '참먹'이라고 한다. 『숙종실록』숙종 19년(1693, 강희 32) 기사 가운데 "(청나라에 간)사신이 사사로이 바치는 것은 미안하지만, 들으니, 황태자가 우리나라의 진묵眞墨을 좋아한다고 하기 때문에, 일행 중의 유매묵油煤墨 50정錠을 바치고 왔습니다."라는 기록이 있다.[101] 진묵이 곧 유매묵이라는 내용이다.

『산림경제』 잡방雜方의 조묵造墨편에는 청마유淸麻油(참기름)를 이용한 진묵의 제조법이 상세히 기술되었다. 청마유 10근 중에서 먼저 3근을 취하여 소목蘇木 1냥 반, 황련黃連 2냥 반, 행인杏仁 2냥을 빻아 부수어서 함께 달인다. 그리고 기름이 변색되기를 기다려 따뜻할 때에 꺼내어 짜고 찌꺼기는 버린다. 다음 짜낸 물을 기울여 나머지 기름 속에 붓고 고루 섞이도록 젓는다. 땅을 파고 등잔을 놓아두되, 깊이를 등잔의 높이와 평평하게 만들고 기름을 가득 붓고 심지를 넣어 불을 붙인다. 그리고 면面(동이의 입)의 넓이가 8~9촌이 되고 밑[底]의 깊이가 3촌 가량 되는 와분瓦盆으로 위를 덮되 방촌方寸(사방 1촌)이 되는 기와 조각으로 3면에 기둥을 세우기를 너무 높지도 않고 너무 낮지도 않게 만들어야 한다. 이렇게 해 놓고 매양 밥 한 솥 지을 만한 시간의 간격으로 한 차례씩 그을음을 쓸어내야 하므로, 등잔 열 개만을 만

101) 『숙종실록』숙종 19년 계유(1693, 강희 32) 3월 26일(경오) 최종기사
又曰: "使臣之私獻未安, 而聞皇太子, 好我國眞墨云. 故以行中油煤墨五十錠, 呈納而來矣.

들어 놓아야 적당하다. 만약 등잔을 많이 만들어 놓으면 그을음을 쓸어서 모두 벗겨내지 못한다. 다음은 쓸어낸 그을음 4냥 반마다 황련 반냥과 소목 4냥을 각각 빻아 부수어서 물 두 잔에 함께 5~7차 끓도록 달인다. 그리하여 빛깔이 변하기를 기다렸다가 숙초熟綃로 짜 찌꺼기를 버리고 따로 침향 1전 반과 함께 달여 물 4냥쯤 되었을 때 다시 짜낸다. 그 다음 용뇌龍腦 반 전, 사향麝香 1전, 경분輕粉 1전 반을 약즙 반 홉과 연화研化한다. 먼저 약즙에 건교乾膠 1냥 1전 5푼을 넣고 함께 볶되 부지런히 저어 녹인 다음, 용뇌와 사향즙을 넣고 고루 섞이도록 저어, 뜨거울 적에 그을음 안에 부어 넣고 바람이 치지 않는 곳에서 속히 갠다. 그 다음 안상案上에다 놓고 둥글게 주무르되 빛이 비치기를 기다려서 방인方印(네모진 틀)에 넣어 정자錠子(먹자루)를 만들어 전혀 바람을 쏘이지 말고 움 속에 5~7일을 두었다가 마르기를 기다렸다가 꺼내서 깨끗이 닦아 저장해 둔다.[102]

당묵(唐墨)

당묵은 중국에서 들여온 참먹이다. 조선시대 단청에 사용된 먹은 주로 진묵眞墨이었다. 그러나 1900년 경복궁 선원전 증건과 1901년 창덕궁 선원전 증건 시에는 단청안료로 당묵을 사용했던

---

102) 『산림경제』 제3권, 잡방(雜方), 조묵(造墨)편

것이 확인된다.[103] 구한말 격동기에 국내산 진묵의 생산이 부족하자 중국으로부터 들여온 참먹을 사용했던 것으로 추정된다.

송연(松烟)

소나무를 태운 그을음으로 송연에 아교를 섞어서 송연묵松烟墨을 만든다. 예로부터 우리나라 송연묵의 품질이 우수하여 중국에까지 널리 알려졌다. 송연松烟은 주로 칠장漆匠과 소목장의 재료로 사용되었다. 아교로 개어 칠했으며, 주토를 섞어서 바르기도 했다. 주로 종묘와 산릉 재실의 탁자를 칠하는데 사용되었다.[104]

---

103) 『景福宮昌德宮增建都監儀軌』1900,
『眞殿重建都監儀軌』1991. 단청소입 기사편

104) 『세종실록』 세종 12년 경술(1430, 선덕 5) 9월 8일(병오) 최종기사
예조에서 건원릉 · 재릉 등도 송연으로 칠하게 할 것을 건의하다. 예조에서 봉상시(奉常寺)의 첩정(牒呈)에 의거하여 아뢰기를, "앞서 종묘(宗廟)의 육실(六室)과 덕릉(德陵) · 안릉(安陵) · 지릉(智陵) · 숙릉(淑陵) · 의릉(義陵) · 순릉(純陵) · 정릉(定陵) · 화릉(和陵) · 건원릉(健元陵) · 제릉(齊陵)에 찬품(饌品)을 드리는 탁자(卓子)에는 주토(朱土)와 송연(松烟)으로 칠하고, 문소전(文昭殿) · 광효전(廣孝殿) · 후릉(厚陵) · 헌릉(獻陵)의 탁자에는 주홍(朱紅)으로 전부 칠을 하였사온데, 이제 살피오니 문소전과 광효전은 모두 평상시를 모방하였기 때문에 전과 같이 주홍빛으로 전부 칠한 것이오니, 건원릉과 제릉 · 헌릉의 탁자는 종묘 육실과 모든 산릉(山陵)의 예에 따라 송연으로 칠을 올리게 하소서." 하니, 그대로 따랐다. 禮曹據奉常寺牒呈啓: "前此宗廟六室, 德陵, 安陵, 智陵, 淑陵, 義陵, 純陵, 定陵, 和陵, 健元陵, 齊陵奠饌卓子, 漆以朱土松烟, 文昭殿,廣孝殿, 厚陵, 獻陵卓子, 漆以朱紅全漆. 今詳文昭殿, 廣孝殿則皆像平時, 故依舊

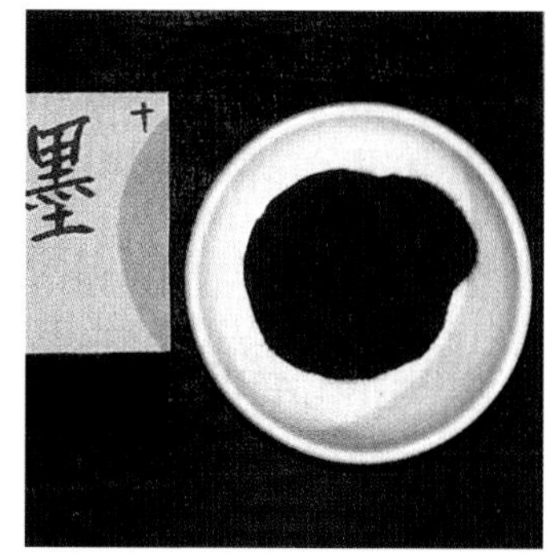

『천공개물』먹편에는 소나무를 태워 그을음을 얻는 방법이 상세히 기술되었다. 소나무를 일정한 길이로 자르고, 땅에 대쪽으로 무지개 모양의 둥근 지붕을 가진 뜸(비닐하우스 형태)집을 짓는다. 한 마디 한 마디 차례로 이어 그 길이가 10여 장에 이르면, 안팎과 이음새를 종이와 돗자리를 풀로 발라 단단히 밀봉한다. 몇 구획마다 연기가 나가는 작은 구멍을 내고, 대나무 뜸과 흙이 닿는 곳은 진흙으로 덮고, 벽돌을 쌓는데, 이때 미리 연기가 통하는 불길은 남겨 두어야 한다. 그 안에서 소나무를 며칠 동안 태운 후에 식으면 안으로 들어가 그을음을 긁어 쓸어 모은다. 소나무를 태워 연기를 내게 할 때는 앞쪽에서 뒤쪽까지 연기가 통하도록 한다. 뒤쪽의 1, 2구획에 달라붙은 그을음은 청연淸煙이라고

以朱紅全漆着漆. 健元陵, 齊陵, 獻陵卓子, 請依宗廟六室及諸山陵例, 松烟着漆." 從之.

한다. 청연은 상급의 좋은 먹을 만드는 원료로 사용한다. 중간 구획의 것은 혼연混煙이라 하여 이것은 일반적인 먹의 원료가 된다. 가방 앞쪽의 1, 2구획의 것은 연자煙子라고 하며, 책을 인쇄할 때 곱게 갈아 사용한다. 그 나머지 구획의 것은 칠장이나 악기장이 가루로 만들어 흑색의 안료로 사용한다.[105] 이상의 내용을 바탕으로 조선시대 칠이나 단청에 사용된 송연은 하품을 이용했던 것으로 사료된다.

105) 최병규 역, 『천공개물』, 범우, 2009, 518~520쪽

Ⅳ
연구결과 종합분석

이상과 같이 고려시대와 조선시대에 사용된 전통안료에 대하여 고문헌을 중심으로 분석해 보았다. 예로부터 사용된 각종 안료는 국내산과 외국산으로 구분되며, 그 성분과 가격도 천차만별이었다. 가장 많이 사용된 안료의 대부분이 중국에서 수입되었으며, 왜주홍과 같이 일본에서 들여온 것도 있다. 본 연구를 통하여 밝혀진 주요 내용을 정리하면 다음과 같다.

◎ 반주홍 · 당주홍 · 뇌록 · 하엽 · 삼록 · 청화 · 삼청 · 석자황 · 동황 · 진분 · 정분 · 진묵 · 송연 등 13종은 조선시대 초기부터 20세기 초반까지 단청에 지속적으로 사용된 안료이다.

◎ 왜주홍도 조선 초기부터 말기까지 사용된 기록이 확인되나, 구하기 어려웠기 때문에 단청에는 제한적으로 사용되었음을 알 수 있다. 왜주홍은 조선궁궐의 교명궤敎命樻, 독보상讀寶床, 독책상讀册床, 보록寶盝, 신장神欌 등 소목가구의 칠감으로 주로 사용되었다. 그러나 1824년 『현사궁별묘영건도감의궤』의 단청소입 기록과 같이 왜주홍이 단청에도 사용되었음은 분명한 일이다.

◎ 조선시대 초기부터 기록되고 있는 주토는 19세기에 들어 석간주와 병행되다가 19세기 중반 이후에는 더 이상 사용되지 않았다. 대신 19세기 전반부터 석간주가 단청안료로서 사용되기 했

다. 주토와 석간주의 원료는 산화제이철성분의 흙으로 동일하지만 주토보다 석간주의 산화철 함량이 많은 것으로 파악된다.

◎ 장단 · 주홍 · 양록 · 양청 등은 문헌사료를 통하여 19세기 말에 국내에 처음 반입되어 사용되기 시작한 안료임이 밝혀졌다. 이 안료들은 화학적으로 제조된 무기합성제품으로서 은폐력과 착색력이 좋으나 색감이 너무 강렬하다는 단점도 있다. 장단은 황단을, 주홍은 당주홍과 번주홍을, 양록은 삼록을, 양청은 대청을 각각 대체하여 사용된 것으로 사료된다.

◎ 현재 사용되는 삼청은 양청에 백색을 혼합하여 조색한다. 뇌록 역시 현재는 여러 가지 색을 혼합하여 만든다. 그러나 과거에 사용된 삼청은 남동광을 분쇄 · 수비하여 제조한 밝은 청색의 단색안료이며, 뇌록도 뇌록광물을 분쇄 · 수비하여 제조한 단색안료이다.

◎ 단청이나 불화에 백색 안료로서 사용된 진분의 원료가 납으로 밝혀졌다. 또한 명나라 말기의 『천공개물』에 납을 이용하여 제조한 연분을 '호분胡粉'이라 한 것에 크게 주목된다. 즉, 진분은 연분 · 연백 등으로도 불렸으며, 호분도 다른 이름의 하나였음이 확인된 것이다. 오늘날에는 조개나 굴의 껍질과 같은 패각을 원

료로 하여 제조한 백색 안료를 호분이라 부른다. 그러나 이 명칭은 왜곡된 것이다. 고문헌상 '호분'의 표기는 전무하며, 우리 고유의 명칭인 '합분蛤粉'이라 함이 적합한 용어임을 알 수 있다.

◎ 조선시대의 각종 안료 산지를 국적별로 분류하면 다음과 같다.

산지	안료명
한국	반주홍, 주토, 석간주, 황단, 편연지, 뇌록, 하엽, 삼청, 이청, 심중청, 석자황, 석웅황, 진분, 정분, 진묵, 송연
중국	당주홍, 황단, 당하엽, 편연지, 당하엽, 석록, 삼록, 대록, 석청, 청화, 삼청, 이청, 대청, 석자황, 석웅황, 동황, 당황, 당분, 당묵
일본	왜주홍, 심중청

◎ 각종 국내산 안료의 주요 산지는 다음과 같다.

안료명	국내 산지
번주홍	전라도 용담(龍潭)
주토	경기도 양주도호부 적성현, 충청도 충주목과 청주목, 경상도 안동대도호부 청송군, 강원도 회양도호부 이천현과 평강현, 강원도 원주목 횡성현, 황해도 황주목, 경상도 진주목 하동현 등
석간주	울릉도
진분, 황단(연)	황해도 서흥
뇌록	경상도 장기현, 황해도 풍천군, 평안도 가산군
하엽	황해도 해주
삼청	강원도 회양부, 울산

이청	충청도
심중청	황해도 수안(遂安), 울산, 함양, 영덕
석자황	전라도 진산군(珍山郡) 사음동(舍音洞)
석웅황	충청도 해미 서산 평신진 안민곶
정분	경상도 장기현의 동을배곶(出冬乙背), 황해도 장련현의 대곶(碓串)과 확이곶(確伊串), 황해도 은율

◎ 조선시대 각종 안료의 가격을 4등급으로 분류하면 다음과 같다.

등급구분	안료명	기준
상고가	삼청(근당 16냥), 석록(근당 8냥), 왜주홍	근당 5냥 이상
고가	당주홍(근당 5냥), 석자황(근당 5냥), 동황(근당 5냥)	근당 5냥
중가	하엽(근당 2냥7전), 삼록(근당2냥), 청화(근당 1냥5푼), 진분(근당 1냥6전), 편연지, 대록	근당 1냥 이상
저가	번주홍(근당 1전2푼), 황단(근당 8전), 정분(근당 2전5푼), 뇌록(장기 근당 1전7푼6리, 한양 근당 4전), 주토, 석간주	근당 1냥 이하

※ 괄호 안의 가격은 화성성역의궤의 기록
※ 왜주홍은 가격을 알 수 없지만 구하기 어려웠던 것을 감안하여 상고가로 추정됨

참고문헌

고도서

〈국내〉

『고려사』, 『고려사절요』, 『경국대전』, 『국조보감』,
『만기요람(萬機要覽)』, 『명물고(名物考)』, 『산림경제』, 『삼국사기』,
『삼국유사』, 『세종실록지리지』, 『승정원일기』, 『신증동국여지승람』,
『오주연문장전산고』, 『연행기사(燕行記事)』, 『일성록』,
『조선왕조실록』, 『죽창한화(竹窓閑話)』, 『청장관전서』

〈국외〉

『고공기』, 『산해경』, 『회남자』, 『선화봉사고려도경』, 『영조법식』,
『천공개물』

〈조선왕조실록〉

『광해군일기』, 『명종실록』, 『문종실록』, 『선조실록』,
『성종실록』, 『세조실록』, 『세종실록』, 『숙종실록』,
『연산군일기』, 『영조실록』, 『태종실록』

〈의궤〉

『경복궁창덕궁증건도감의궤(진전)』, 『경모궁개건도감의궤』,
『경운궁중건도감의궤』, 『남별전중건청의궤』,
『[문조]수릉산릉도감의궤』, 『문희묘영건청등록(文禧廟營建廳謄錄)』,
『영영전수개도감의궤』, 『영희전[남전]증건도감의궤』,

『영희전영건도감의궤』, 『[의인후]산릉도감의궤』,
『인정전영건도감의궤 』, 『인정전중수도감의궤』,
『서궐영건도감의궤』, 『순종효황제어장주감(純宗孝皇帝御葬主監編)』
『신정왕후국장도감의궤』, 『저승전의궤(儲承殿)』,
『중화전영건도감의궤』, 『진전[영희전]중수도감의궤』,
『진전중수영건청의궤』, 『창경궁영건도감의궤』,
『창덕궁만수전수리도감의궤』, 『창덕궁수리도감의궤』,
『창덕궁영건도감의궤 』, 『창덕궁창경궁수리도감의궤』,
『화성성역의궤』, 『현사궁별묘영건도감의궤』,
『홍릉천봉주감의궤(洪陵遷奉主監儀軌)』

단행본

〈국내〉

곽동해, 『중요무형문화재 제48호, 단청장』, 문화재청 · 화산문화, 2001
곽동해, 『한국의 단청』, 학연문화사, 2002
곽동해, 『전통불화의 맥』, 학연문화사, 2006
곽동해, 『한국단청의 원류』, 학연문화사, 2011
경기문화재단(편), 『화성성역의궤 건축용어집』, 2007년
김동현, 『한국고건축단장』, 통문관, 1977
김동현, 『한국목조건축의 기법』, 도서출판 발언, 1996
김한옥, 『단청도감』, 현암사, 2007

왕대유 · 임동석 역, 『용봉문화원류』, 동문선, 1994
임영주, 『단청』, 대원사, 1991
임영주 · 전한효, 『문양으로 읽어보는 우리나라 단청』, 태학원, 2007
장기인 · 한석성, 『한국건축대계Ⅲ, 단청』, 보성문화사, 1982
한석성, 『우리가 정말 알아야할 우리 단청』, 현암사, 2006
〈국외〉
馬瑞田, 『中國古建彩畵』 文物出版社, 1996
野崎誠近, 『中國吉祥圖案』, 衆文圖書股份有限公司
竹島卓一, 『營造法式の研究』第三, 中央公論美術出版, 昭和47年

논문

곽동해, 「중국단청의 조형양식에 대한 고찰」, 『동학미술사학회 창간호』, 2000
곽동해, 「연화머리초 성립에 대한 고찰」『동악미술사학회 제6집』, 동악미술사학회, 2005
김동현, 「한국의 단청-단청의 역사와 시공」『공간』, 1974
김동현 · 신영훈, 「한국고건축단장, 단청(上)」『공간』, 1971
김동현 · 신영훈, 「한국고건축단장, 단청(下)」『공간』, 1971
김동현 · 신영훈, 「한국고건축단장, 천장」『공간』, 1974
김병호, 「단청안료 개발시험」『문화재』제8호, 문화재관리국, 1974
김병호 · 정형균, 「단청의 박락방지시험」『보존과학연구』제6집, 문화

재연구소, 1985

도진영 · 이상진 · 김수진 · 윤윤경 · 안병찬, 「전통 녹색 석채로 사용된 "뇌록"의 특성 연구」『한국광물학회지 제21권 제3호』

박도화, 「한국불교벽화의 연구 - 고려시대를 중심으로-」『불교미술 6』, 1981

송응성 지음, 최병규 역, 『천공개물』, 범우, 2009, 508쪽.

신영훈, 「건축에 응용된 문양의 상징성」『사원건축 · 한국의 미 13』, 중앙일보, 1983

신영훈 · 황의수, 「사원건축의 무늬」『국보9』, 예경, 1990

양윤식, 『봉정사대웅전해체수리공사보고서』「문헌자료조사」, 문화재청, 2004

임영주, 「한국 단청양식의 원류에 대하여」『문화재』제17호, 문화재관리국, 1984

임영주, 「단청」『문화재보수기술교재』, 문화재관리국, 1985

임영주, 「한국단청의 문양, 채료, 기법」『문화재보수기술교재』, 문화재관리국, 1986

예용해, 「무형문화재조사보고서, 단청」, 문화재관리국, 1970

예용해, 「단청」『문화재』제7호, 문화재관리국, 1973

장경호, 「우리나라 단청과 그 보존」『공간』, 1980

정경용, 「한국단청에 관한 연구」, 동국대학교 교육대학원 석사학위논문, 1898

홍창원, 「창덕궁 대조전 단청에 관한 연구」, 동국대학교 교육대학원 석사학위논문, 1993

사전, 도록, 보고서

『무량수전 실측조사보고서』, 문화재청, 2002

『무위사극락전 단청모사보고서』, 문화재청, 2012

『북한의 문화재와 문화유적』제1~2권 고구려편, 서울대학교출판부, 2000

『봉정사극락전 수리 · 실측보고서』, 문화재청, 2003년 8월

『부석사조사당 수리 · 실측조사보고서』, 문화재청, 2005

『수덕사대웅전 정밀실측조사보고서』, 문화재청, 2005

『부안개암사대웅보전 수리및단청문양조사보고서』, 2012

『조선고적도보』, 조선총독부, 대정4년.

『한국의 미13 · 사찰건축』, 중앙일보사, 1981

『한국민족문화대백과』